CORÍN TELLADO

Boda clandestina

punto de lectura

Título: Boda clandestina

Barquillo, 21. 28004 Madrid (España) www.puntodelectura.com

ISBN: 84-663-0579-3
Depósito legal: M-39.814-2002
Impreso en España – Printed in Spain

Diseño de colección: Ignacio Ballesteros

Impreso por Mateu Cromo, S.A.

Segunda edición: septiembre 2002

CORÍN TELLADO

Boda clandestina

Uno

Un tenue haz de luz penetraba callado, diríase temeroso, por la pequeña ventana de la buhardilla. Un silencio impresionante se cernía en el ambiente, tan sólo interrumpido por los pasos agitados del hombre, cuyos pies iban de uno a otro lado de la estancia sin tregua, sin compás.

El cuerpo vigoroso se inclinaba hacia delante, mientras la boca, de trazo duro y enérgico, murmuraba palabras ininteligibles, al tiempo que los cabellos, de un negro azabache, se agitaban con ira, con desesperación.

Era imposible precisar la edad de aquel hombre. ¿Treinta años? ¿Cuarenta? ¿Más tal vez?

Su cuerpo de atleta dejábase ahora caer sobre una butaca, mientras que los ojos de un pardo intenso iban desviados a clavarse en el rostro pálido del amigo, que, callado y triste, permanecía medio tendido en un próximo diván.

Al observar sus facciones endurecidas, hacíase más difícil acertar su edad. La frente espaciosa se plegaba en pronunciadas arrugas; los ojos despedían llamaradas y la boca se apretaba fuertemente, parecía próxima a romperse.

—Tu actitud me desespera, Rob —sonó tenue la voz del amigo—, te han absuelto, nada tienes que temer, puesto que se ha comprobado...

—¡Calla! —se irguió tembloroso—. ¡Yo la maté! La maté por perjura, por... ¡Oh, qué sufrimiento más atroz! ¡Qué desesperación la mía! ¿Crees que aun así me arrepiento? ¡Jamás, jamás! ¡Con qué ansia hubiera disparado de nuevo la pistola! —rugió con desgarrador acento—. Me amaba —sonrió tristemente—. ¿Oyes? Aquella misma tarde, antes de haberla encontrado con su amante, juraba que yo era el único amor de su vida... ¡Canallas los dos! ¿Tú crees que me importa que el jurado me haya absuelto? ¡No, no! ¡Necesito morir! ¡Quiero desaparecer! Quiero...

—¡Roberto! —gritó el amigo incorporándose en la cama y yendo hasta él—. Repórtate; piensa en que todo se ha solucionado; en que una nueva vida se abre ante tus ojos; en que eres joven, posees una carrera brillante y... Olvídalo todo, amigo mío. Pisotea el presente, cual si fuera un reptil. Mira tan sólo al futuro, sonríele, hazle frente; lucha por desasirte de ese recuerdo cruel y lo lograrás.

—¡Lograrlo! Jamás lo conseguiré, Dan. Jamás. ¿No comprendes que ella era para mí el futuro, el presente...? ¿Aún no te has dado cuenta de que lo era todo? La adoraba —susurró débilmente, dejándose caer en la cama y ocultando el rostro entre las manos—. Siempre creí que dicha como la mía no existía otra. Confiaba con fe absoluta en su fidelidad. ¿Cómo sospechar otra cosa, si ella, refugiada en mis brazos, confesaba quererme con delirio como ningún otro hombre consiguió ser amado? Cuando aquella noche tú me advertiste, te abofeteé —gimió ahogadamente—. No podía concebir que ella fuera perjura a su marido. Aun así, siguiendo tu consejo, retorné a aquella casa —sentóse en la cama cogiendo entre sus manos temblorosas las del joven abogado, concluyendo desesperadamente—. Cuando la vi en brazos de aquel hombre, saqué mi pistola y disparé. No me digas que no la he matado, porque estoy bien seguro de que mi bala se incrustó en su negro corazón. No me arrepiento —rugió intensamente—, la hubiera matado otra vez, sin que mi pulso se sintiera débil, lo sé...

Daniel Hurtado posó sus manos temblorosas de emoción en los anchos hombros del amigo, observando persuasivo:

—Escucha, Rob: Si te marchas por el mundo, seguro de que cometiste un crimen, el remordimiento no te dejará vivir, lo sé. Es preciso que razones, que comprendas. Tú no disparaste la pistola. No tuviste valor. Laura padecía una afección cardíaca y de la impresión quedó instantáneamente muerta. El médico forense no halló en el cuerpo de tu mujer una sola señal de haber sido asesinada. Murió porque Dios así lo dispuso, sólo por eso. ¿Comprendes? Tú no eres un criminal. Eres tan sólo un infeliz equivocado.

Roberto Foisle se puso en pie.

—¿Estás seguro de lo que dices, Dan?

—Completamente. Es preciso que olvides lo sucedido, Rob; de otra forma nunca más serás feliz.

—¿Olvidar? —rió forzado—. ¡Ser feliz! Para mí todo eso ha muerto. Hoy mismo me ausento de este pueblo. ¿Qué adónde? Lo ignoro. ¿Qué importa un sitio u otro si todos me van a ser indiferentes?

—Aunque así sea, dime adónde has de ir.

—¿Lo sé yo?

—¿Trabajarás?

Se encogió de hombros.

—Posiblemente. Voy a consagrar mi vida al estudio. Tengo un título que utilizaré. Tal vez el trabajo me ayude a ahogar el dolor.

Su rostro estaba desesperadamente sereno. La voz sonaba tranquila como si jamás sufriera alteración ninguna. Daniel lo miró tristemente, observando pesaroso:

—Me asusta tu reacción, Rob. Quisiera mejor verte desesperado que con esa tranquilidad pasmosa.

—El corazón humano es muy complejo, amigo mío.

Fue hacia la ventana, cuyos postigos cerró herméticamente y, cogiendo luego el brazo del amigo, indicó la puerta, por donde, un momento después, ambos desaparecían.

—Siento como dentro de mí todo nuevo, Dan; del amor de Laura no queda absolutamente nada, excepto una gran indiferencia.

Ya en la calle, añadió serenamente:

—Dile a tu criado que puede venir a su buhardilla cuando lo desee. Y déjame pedirte un favor, querido Dan. Yo me voy mañana, si no lo consigo esta misma noche. Vende todo lo que hay en mi piso; yo no quiero nada. Dáselo a quien tú quieras, tíralo si te parece.

—Pero, Rob...

—Sé que allí hay cosas de incalculable valor; sin embargo, no quiero nada. Deseo olvidar y para ello comienzo por ahí. Ni siquiera me llevo un traje.

—¿Adónde vas? —exclamó viendo que el otro hacía intención de apartarse.

—Adiós, amigo. Lo más probable será que nunca más nos volvamos a ver. Jamás tornaré a España. En ella he sufrido mucho, quiero ahogar el dolor en una nación extraña.

—¿Pero te vas así?

—Me voy así —rió con esfuerzo.

Se estrecharon las manos y, sin una palabra más, cada uno se fue por un lado. Pero antes de apartarse del todo, Roberto se volvió a medias, murmurando:

—Hasta ahora has logrado que los periódicos no hablaran de mi caso. Procura en lo posible que mi nombre continúe sin aparecer en sus páginas.

—Así lo haré.

Miró, húmedos de llanto los tristes ojos, la ancha espalda que apresurada desaparecía camino de la estación y entonces, sabedor de que se encontraba impotente para detener al amigo, giró sobre sus talones, tambaleándose, camino de su casa.

Dos

—Estoy cansado, nena, muy cansado. Mi cabeza ya no responde. Con demasiada frecuencia se me van las ideas; los problemas más sencillos se me antojan complicadísimos. De ahí mi terror, pues temo perder totalmente la memoria.

—¡Me asustas, Enrique!

—Yo también estoy asustado, Ketty, pero desgraciadamente todo ello es cierto. Por eso te repito de nuevo: urge que hallemos un ingeniero competente y honrado; de lo contrario habrán de sufrirse muchos contratiempos. Soy viejo en exceso —continuó muy bajo— para sostener sobre mis débiles hombros una carga tan pesada como supone la de estos astilleros. No te entristezcas, Ketty —suplicó tiernamente, húmedos de llanto los cansados ojos—, es ley de la vida; unos florecen, otros decaen como las mismas plantas. Esta vez me toca a mí ser el rosal seco que se mustia para dejar el lugar a otro joven y fuerte.

—¿Y qué hago yo sin ti, viejo amigo? Tú sabes, Enrique, mis luchas íntimas, mis sufrimientos morales, que, aunque intensos, a tu lado y con tu apoyo filial son más llevaderos. Pero si tú me faltas, ¿qué voy a hacer? ¡Y me envidian! —musitó fruncida, en rictus amargo, la dulce boca—, me creen feliz porque manejo millones, ¡Es desesperante, amigo mío! Si tú me faltas tendré que abandonarlo todo.

—¡No! ¡Piensa en tus hermanitos! Ellos son inocentes y confían en ti, Ketty. Si abandonas esos negocios, tus hermanastros los aprisionarán como lobos hambrientos; lo están deseando y tu inescrupulosa madrastra los alienta con sus consejos poco edificantes.

—Es que también yo estoy cansada; mi ánimo decae por momentos; temo desfallecer en la lucha. Ellos me acosan pidiéndome dinero, que no me atrevo a negar. El gasto de Irma es imponente: palco en la ópera, fiestas, almuerzos, joyas de incalculable valor, autos de las mejores marcas... Todo lo tengo que soportar porque... —esbozó una sonrisa amarga— me es imposible eludirme.

Y, abatida, mojadas de lágrimas las pupilas claras, inclinó la cabeza hasta apoyarla en la enorme mesa del despacho.

Enrique Niel, director de los grandes Astilleros Iwahinosky, púsose en pie para posar la temblorosa mano en aquella soberbia mata de oscuros cabellos.

La quería entrañablemente, la admiraba también porque había sabido, con entereza y extraordinario dominio, sacar de la ruina aquel negocio intrincado; lucrativo, sin embargo, si una diestra enérgica hallaba el infalible modo de dirigirlo; aquella mano había sido la suya, que, unida a la otra femenina, lucharon tenazmente hasta verlo de nuevo floreciente y seguro. Pero ahora sus fuerzas flaqueaban, su antiguo vigor veíase maltrecho, ya que los muchos años restaban fuerzas a su siempre despierto cerebro de luchador.

—No hay que abatirse cuando más necesitamos los ánimos —aconsejó, contentando dulcemente el rostro afligido—. Siempre has sido fuerte y habrás de continuar siéndolo en bien de la fortuna que defiendes. Piensa en tu padre muerto. Él no tuvo la entereza suficiente para poner fin a los despilfarros de su mujer, que lo arrastraba a la ruina; a ti no te ciega una insensata pasión ni las locas diversiones. Eres en todo diferente a él, y lo celebro. Hay que luchar y seguir venciendo, lo exigen tus dos hermanitos tan inocentes, tan buenos. Continúa, Ketty, y habrás de salir triunfante porque te guía un fin sano y noble: el futuro de tus hermanos.

—Tú bien sabes que jamás he flaqueado, pero entonces tenía tu apoyo, en tanto ahora habré de quedarme sola, al frente de esta inmensa mole, sin más ayuda que esos egoístas ingenieros, capitaneados por Renato. ¡Y pretendes que no me desespere!

—Hablé solamente como una posibilidad —dijo apagadamente el viejo director—. Mientras no hallemos un sustituto continuaré a tu lado. Es indispensable, en bien de todos, encontrar un ingeniero competente y honrado.

—¿Y dónde está ese mirlo blanco? —burlóse una voz a su espalda.

Ketty Iwahinosky se volvió como impulsada por un resorte. Su rostro, de facciones delicadas, tornóse altivo, distanciante.

—En cualquiera menos en ti —dijo fríamente—. Te ordeno, ¿oyes?, te ordeno que salgas de mi despacho. Este lugar está prohibido para ti. En todos los tonos te lo he advertido y espero que, en lo sucesivo, antes de traspasar el umbral, recuerdes esa advertencia.

Las afeminadas facciones del hijo de Irma Lover se atirantaron, hasta que su boca, pálida, pareció un trazo rojo.

Enrique lo observaba en silencio, diciéndose, una vez más, que aquel petulante y repulsivo personaje era tan de temer como su misma madre. Tembló por Ketty; rodeada de aquellos egoístas, su vida jamás podría deslizarse tranquila y confiada; y lo peor de todo, lo más lamentable, era que él se encontraba impotente para continuar amparándola. Palideció de coraje al oír la réplica irónica de Renato.

—Antes de irme de nuevo te ofrezco mi ayuda. Si el viejo chochea, nómbrame a mí director y nunca te verás sola.

—¡Insolente! Jamás precisaré tu ayuda, y si me viese tan agobiada como para solicitar un apoyo, tú serías el último si antes no enviaba todo... ¡Sal de aquí! ¡Repugnas!

Renato Lover inclinose burlón. Antes de haber salido obsequió al director con una despreciativa mirada, mientras manifestaba con irónica entonación:

—Recuerda siempre que estoy a tu disposición, bella soberbia.

El rostro de Enrique se mostraba pálido, pero hermético, ni una mueca, ni una palabra, había pronunciado oyéndose insultar. ¿Para qué? Renato, como su madre, era bajo, tan bajo y mezquino como despreciativo.

—¿Lo ves? —exclamó angustiada la femenina voz—. Se ceban en mí como lobos hambrientos, y eso ahora que tengo tu apoyo; ¿qué será más tarde al verme sola y sin defensa?

La cabecita bella inclinose de nuevo, sollozando queda, angustiadamente.

—Si es preciso nunca me iré de tu lado.

—Gracias, mi viejecito —musitó tenuemente la voz impregnada en llanto, alzando la cabeza y oprimiendo las manos rugosas entre las suyas blancas y suaves—. Has sido un padre para mí y eso nunca lo olvido, pero reconozco, no obstante, que precisas descanso y yo, que te quiero, ayudaré a proporcionártelo.

Una dulzura infinita invadió el corazón bueno de aquel hombre.

No era un cariño joven el que le impulsaba hacia la chiquilla que, aun cuando poseía millones, se encontraba tan desamparada como el más desgraciado de los humanos; era, por el contrario, un cariño viejo, tan viejo como para contar veinte años, los mismos que lucía el rostro angelical de la angustiada nena.

—Me han hablado de un español que busca trabajo en Cardiff. Es ingeniero naval. ¿Qué te parece si probáramos? —quiso animarla.

—Prueba, con eso nada se pierde.

—Si me conviene, lo admitiré como simple ingeniero; luego trataré de observarlo.

—Si se une a Renato no quiero ni verlo.

Rió Enrique.

—Si es así —dijo—, jamás tendrá mi confianza. Un hombre inteligente jamás busca esas compañías y, si se las brindan, las elude. Si el español es recto y honrado, no será precisamente Renato su amigo.

Ketty suspiró hondo. Echó el cabello hacia atrás, apartándose de la enorme mesa de despacho que la empequeñecía. Cogió entre sus dos manos el brazo del viejo amigo, diciendo algo más animosa:

—Vamos al jardín. Pronto llegarán mis hermanitos con la *fraulein* y deseo recibirles sonriente y feliz.

—¿No crees que sería más conveniente internarlos?

—No. Para ello hubiera sido preciso separarlos y eso es imposible: han nacido juntos y juntos habrán de estudiar y ser felices.

—Los adoras.

—Intensamente —musitó queda, con infinita ternura—. Son ellos y tú los únicos cariños de mi vida —oprimió el brazo de Enrique, continuando—: Por ellos estoy sufriendo y por ellos sufriré si es preciso hasta morir. Cuando perdí a mamá ella me los confió. Eran dos montoncitos de carne casi informe. «Vela por ellos, nena —me suplicó—. Sé para tus hermanos la madre que hoy pierdes, hijita mía.» Tenía entonces —añadió— solamente diez años, pero así y todo, tú bien lo sabes, jamás olvidé la súplica de aquella que guió desde entonces mis pasos. Más tarde papá se casó con Irma, creyéndola buena, y ya ves —sonrió tristemente—. Desde entonces ellos fueron mis hijos. Adolfo será luego un hombrecito al que yo educaré para que me secunde en los astilleros. De Alice haré una mujercita sana y buena, de limpios pensamientos y dulce corazón.

Habían llegado al jardín. Eran las doce del día, hora en que los Astilleros Iwahinosky abrían sus puertas para dar paso a tres mil hombres, que trabajaban a las órdenes de una chiquilla de veinte años, enérgica y animosa, a la que ellos creían feliz, sin adivinar que Ketty Iwahinosky aún ignoraba lo que era una hora de felicidad.

Los grandes astilleros estaban unidos al imponente palacio por una alta tapia; una pequeña puertecita, disimulada entre matas, daba paso a ellos, donde sobre inmensas gradas se construían los hermosos barcos cuyas quillas apenas permanecían unos meses sobre tales gradas, gracias a la energía y dinamismo del activo director.

En aquel momento Ketty, sonrió satisfecha, viendo salir por el enorme portalón a centenares de hombres, cuyos rostros resplandecían de felicidad.

—Todos sonríen —dijo sin dejar de mirarlos.

—Es que se les atiende —replicó el ingeniero—. Renato en ese sentido no puede vencerme.

Volvióse Ketty; dio unas cariñosas palmadas en el hombro del amigo, exclamando dulcemente:

—Cuando te marches, ¿quién va a saber sustituirte? Nadie, ten la seguridad.

—¿Por qué has admitido a Renato como ingeniero? Es un torpe. No sabe lo que es un plano e ignora lo que es la técnica.

Se encogió de hombros. Dio unos pasos por la hierba, yendo al encuentro del auto que traía a sus hermanos, y dijo como excusa:

—Me lo pidió Irma. No me negué porque no tuve en qué apoyarme.

—Es una pena —se lamentó—. Te dejo con tus hermanos. Hasta la tarde. Cuando vuelva ya sabré a qué atenerme respecto al ingeniero español.

Besó a Ketty, desapareciendo luego por la pequeña puerta.

—¡Ketty, Ketty! —llamaron alegremente dos vocecillas a un tiempo.

La muchacha oprimió entre sus brazos los cuerpos queridos. Era una nena rubia como el trigo maduro; tendría a la sazón diez años, igual que el chico, fuerte y hermoso, cuyos rostros resplandecían ahora mientras besaban incansables el rostro de su *madrecita*.

—¿Nos bañamos, Ketty?

—Voy por la pelota —chilló Alice, echando a correr en dirección al palacio.

Momentos después, los tres, embutidos en vistosos *maillots*, se sumergían en la piscina de agua fresca y transparente. Sus risas se unían felices mientras la pelota botaba de uno a otro lado.

—Mira cómo se entretiene la mujer de negocios —observó Berta Lover, apoyándose en la balaustrada de la terraza.

Irma alzó la cabeza al decir con desprecio:

—Son los únicos momentos felices que tiene de expansión.

—Pues ahora va a verse y desearse —manifestó Renato, entrando y dejándose caer en una extensible—. El viejo pierde la memoria y ella sin él es un barco al garete.

—Ofrécele tu ayuda.

—Ya lo hice.

—¿Y...?

—Lo de siempre. Nos desprecia.

La voz de Irma sonó impregnada de ira:

—Ketty no debiera de olvidar que aún está entre mis manos.

—¿Y qué harás con eso? —inquirió el hijo, indiferente.

—Mucho; aún no lo sabe ella bien.

Tres

Miró el auto que se llevaba a sus hermanos hasta que hubo desaparecido y, muy lentamente, ascendió por las anchas escaleras hasta llegar a la terraza, donde se reunían Irma y sus dos hijos.

—Lo más conveniente hubiera sido internarlos —dijo Irma.

—Nunca me separaré de ellos.

—Una manía. Tu padre siempre decía que haría de Adolphus un gran aviador, y, si es que respetas los deseos del difunto, te verás precisada a separarte de él.

Ketty apoyóse en una columna. Miró a lo lejos y añadió quedamente, como para ella sola:

—Siento infinitamente contrariar los deseos de mi padre, pero Adolphus habrá de ser un ingeniero naval para que más tarde me secunde en los astilleros.

El rostro de Irma se puso rojo de indignación, pero aun así murmuró serenamente:

—Si dejaras todos esos asuntos en manos de Renato y te dedicaras a divertirte, como hacen otras muchachas de tu edad, cuánto más ganarías. Estás dejando pasar la juventud y luego tal vez lo lamentes.

Ketty esbozó una sonrisa. Miró primero a Renato, que fumaba despreocupadamente tendido en una mecedora; miró luego a Irma y, dando media vuelta en dirección al jardín, dijo enérgica, muy lentamente:

—Soy feliz de esta forma, Irma; te agradeceré que en lo sucesivo te abstengas de mencionar para nada mi trabajo, puesto que todo es inútil.

Traspasó al puerta acristalada, no deteniéndose hasta haber llegado al segundo piso, donde tenía instalado su despacho particular.

Cerró la puerta con doble vuelta, yendo después a apoyar la frente en el cristal del gran ventanal. Desde allí dominaba perfectamente los astilleros. Sonrió satisfecha, observando el orden con que los obreros trabajaban incansables en los buques, cuyas inmensas moles parecían crecer de día en día, y todo ello le causó una satisfacción interior.

Vio al director salir de la nave central en compañía de un hombre fornido; ancho de hombros, cintura breve, esbelto, parecía en extremo elegante. Observó cómo Niel, cogiéndolo del brazo, caminaba en torno a los grandes diques, explicando algo, mientras con el brazo señalaba las gradas.

¿Es que aquel hombre era el ingeniero español? Supuso que sí y una leve mueca de contrariedad distendió su boca. Le pareció demasiado joven, no joven precisamente..., ¿qué entonces?

No supo precisarlo y, contrariada, se apartó del ventanal, yendo a sentarse tras la enorme mesa del despacho.

Vestía un traje oscuro, bastante austero; el cabello lo recogía tras la nuca en un gran moño. Aun cuando su atuendo, igual que su tocado, era impropio de su extremada juventud, hacía gracia en su personilla armoniosa, tal vez porque aquellos tonos serios no estaban de acuerdo con su juvenil aspecto.

Cogió la estilográfica, comenzando a trazar números sobre el grueso cuaderno. Sus ojos claros de transparencia, bellos y puros como gotitas de rocío, fueron desde el papel a clavarse en un punto inexistente, mientras que por su mente pasaban mil y mil atropellados pensamientos.

Parecía recordar con triste añoranza los tiempos lejanos; aquellos en que aún su madre vivía y todo se deslizaba tranquila y llanamente. Estaba bien segura de que sus padres en aquella época eran intensamente felices.

Contaba ella diez años cuando su mamaíta guapa se puso enferma para traer al mundo a los dos gemelos. La muerte, cruel, llegó un mes más tarde arrastrando tras de sí la joven vida. ¿Después? ¡Qué dolor le causaba el recordarlo! El papá que siempre había sido bueno y cariñoso comenzó a ausentarse del hogar, hasta que un día habló de traerles una madrastra. Así comenzaron las luchas para ella. Irma y sus dos hijos, pues era viuda, fueron desde un principio diplomáticamente malos. ¡Cuántas luchas, cuántos sufrimientos! La ruina, después, se aproximaba a pasos agigantados. Los gastos de aquella mujer suponían más, mucho más, de lo que el negocio podía soportar. Y un día, el padre, desesperado por hallar una salida viable, que apartase de la ruina a sus tres hijos, caía enfermo de muerte. Aunque tarde, había comprendido la perversidad de Irma. Y, aún hoy, no acierta ella a explicarse el porqué de aquel testamento absurdo que la privaba de formar un hogar. ¿Por qué su padre, siempre tan inteligente, había dispuesto las cosas de aquella forma inexplicable?

Al oír llamar a la puerta, se sobresaltó. Alzó la cabeza, pasó la mano por sus ojos, yendo luego en dirección a la puerta del despacho.

—¿Por qué tan cerrada?

—Hola, Enrique. Cerré por temor a que Renato viniera a importunarme.

La miró inquisidor.

—¿Qué tienes? ¿Qué es lo que expresa ese rostro tan pálido? ¿Has tenido algún otro disgusto con Irma?

—No. Siéntate. Estaba pensando, Enrique, pensando en lo de todos los días. Hace de ello cinco años y no transcurre una fecha sin que el recuerdo venga a martillear mi cerebro.

—¿Qué es? ¿Acaso el testamento?

—Sí.

—Yo tampoco me explico por qué tu padre, tan comprensivo, dejó las cosas dispuestas de esa forma. Claro que no cabe duda de que la mano de Irma figura en eso, como en muchas otras cosas.

—¿Y qué interés puede tener para ella el que yo no me case hasta no haber cumplido los veinticinco años?

—Recuerda que en el testamento se señala muy particularmente que con Renato puedes casarte mañana mismo.

Sonrió ella sarcástica.

—Antes me moriría.

—No ha de ser preciso. Veinticinco años es una edad muy apropiada para formar un hogar, ningún trabajo cuesta esperarlos.

—Aparte de todo, dime, Enrique, ¿qué puede importarle a Irma que yo no me case antes?

—Mujer, ¿no ves que desde el momento en que tú te casaras ella pierde todos los derechos a continuar viviendo en este palacio? Luego tendrías que asignarle una espléndida pensión, pero entretanto, disfruta de todas las primicias, que es, precisamente, lo que ella desea. Hasta que tú cumplas veinticinco ella ejerce la tutela sobre todos vosotros, ¿comprendes? Aunque no sea la tutela oficial de tus hermanos, tiene derechos sobre ellos. ¿Te haces cargo?

—No quiero hacérmelo, que no es igual. Dime, hablando de otra cosa, ¿era el español quien te acompañaba por los astilleros?

—Sí. Ya está trabajando.

—¿Ha sido de tu agrado?

—Absolutamente. Es un hombre inteligente. Lo comprendí al instante. Un poco reconcentrado tal vez, pero serio y formal. Me ha parecido un hombre de honor.

—Pues ya que eso queda por ahora solucionado, vamos a consagrarnos al trabajo, amigo mío. Tenemos asuntos muy abandonados.

Cuatro

—Se cree la mujer más sabia del mundo. No digo que no sea inteligente, sería mentir, pero no lo bastante para gobernar una mole como supone la de estos astilleros. En fin, usted, como yo, comprenderá fácilmente lo que le quiero decir. Además, es una chica engreída, sabe que no es ignorante y se cree invulnerable ante cualquier acechanza. Prueba de ello es que aún no trató de conocerle a usted, cuando acostumbra a recibir a sus ingenieros seis días después de haber ingresado en los astilleros, y a usted, ignoro el porqué, aún no le ha recibido.

Cesó la voz persuasiva. Roberto Foisle parecía escuchar atentamente; siguió con las manos en los bolsillos y la vista perdida en un punto lejano.

—Me parece que me ha comprendido perfectamente —dijo Renato, encendiendo con énfasis un oloroso cigarrillo.

—¡Oh, sí, qué duda cabe!

Aquella voz ronca, muy varonil, se le antojó a Renato un poco burlona, pero, aun así, exclamó, con petulancia:

—Nuestro deber es protestar. El director es viejo y aquí estamos un buen número de hombres jóvenes y fuertes, competentes para desempeñar ese cargo, defendiéndolo quizá más y mejor que ellos dos juntamente. ¿Por qué hemos de plegarnos a las órdenes de una chiquilla inexperta? ¿No lo cree usted así?

Los ojos pardos, como nunca duros y desconcertantes, se alzaron hasta el rostro de Renato, desconcertando a éste con la pregunta que le sobresaltó:

—Su madre de usted fue la esposa del padre de ella, ¿no?

—Así es. Pero...

—No continúe, sir Lover. Con lo que ha dicho tengo suficiente.

Yendo hasta la puerta, la abrió, invitando con un deje de fina ironía, y desconcertando al otro, en cuyo rostro se plasmó la indignación:

—Le suplico, amigo mío, que en lo sucesivo se abstenga de traspasar este umbral. Las horas que permanezca en la oficina son para consagrarme al trabajo. Las otras —sonrió duramente— las deseo para descansar, pero en forma alguna permitiré que alguien, quienquiera que sea, me las malogre con chismes necios que nada me interesan. La señorita Iwahinosky tiene en usted un gran aliado. Si yo fuera el director, tenga por seguro que Renato Lover hubiera ya tomado las de Villadiego —concluyó, desoyendo el rugido del otro y cerrando con brusco golpe la puerta tras él.

Molesto, cruzadas las manos tras la espalda, se paseó agitadamente por la amplia oficina, dejando que a sus ojos se asomara una rabia sorda, terrible.

Qué mezquino le pareció el atildado personaje; mezquino y perverso. ¿Qué le importaba a él todo aquello? Venía de España dispuesto a trabajar, ahogando el dolor en la tarea intensa, desoyendo el grito cruel que imperioso se alzaba dentro de su ser, y, si no lo conseguía consagrando su vida al trabajo, llegaría a ver aniquilada su voluntad de hombre, siempre, hasta entonces, fuerte, férrea, luchadora. ¿Que su jefe era una mujer? ¿Qué más daba? ¿Orgullosa, fría, altanera? Le importaba muy poco todo eso. ¿No tenía allí montones de planos? Pues aquellos eran y serían sus únicos amigos; lo demás le tenía totalmente sin cuidado.

—Rin, rinnn..., rinnnnnn...

Alcanzó el auricular.

—Diga...

Una voz seca llegó a través del hilo.

—Por favor. ¿Sir Niel?

La mano morena se crispó fuertemente sobre el aparato. Era la primera vez, después de su salida de España, que oía una voz de mujer y en aquel momento la tenía muy próxima a su oído, dejando en su boca un agrio sabor.

—¿Quién está al aparato? ¿Es que no me oyen? Por favor, que se ponga sir Niel —le lastimó de nuevo la voz.

—Sir Niel ha salido —replicó apagadamente, luego de hacer un esfuerzo enorme.

—Entonces, ¿quién es usted?

—Roberto Foisle.

—Ya —siguió un mutismo, luego la voz femenina se oyó brevemente alterada—. Pásese esta tarde por mi despacho.

—¿Quién, yo?

—¿No es, acaso, el ingeniero naval?

—Ciertamente.

—Pues es a usted a quien necesito. A las cinco de la tarde pásese por aquí. No se olvide de traer la carpeta con los planos. Necesito estudiar un nuevo modelo de yate. ¿Es que no me oye?

—Sí, claro que sí —replicó, distraído—. A las cinco pasaré por ahí, miss Iwahinosky.

Sintió un chasquido, que le hizo comprender que la comunicación estaba cortada.

Aún permaneció un momento mirando duramente al auricular. Lo soltó después, mientras su boca de trazo duro y enérgico esbozaba una sonrisa forzada. Era tanto y tan intenso el odio que todas las mujeres le inspiraban que, por un momento, se creyó con poder para ahogar la voz fría que, desde el otro lado del hilo, ordenaba altanera y dura.

Se dejó caer en un sillón y, apoyando los codos en la mesa, dejó que la cabeza reposara desmayadamente sobre las palmas abiertas.

¡Qué contratiempo más inesperado! No deseaba en forma alguna trabajar con ella a su lado y fue entonces, en aquel momento, cuando recordó que sir Niel lo había advertido de que el ingeniero naval casi siempre trabajaba en las oficinas del segundo piso del palacio, donde miss Iwahinosky realizaba algunos esbozos para los barcos en preparación. Todo ello suponía molestias, esfuerzos terribles, y sintió la rabia subirle del corazón a la boca.

Además, estaba bien seguro de que la presencia de aquella mujer —ignoraba cómo era, puesto que no la había visto; se la imaginaba, sin embargo, fría y altanera como toda mujer de negocios— le haría recordar a la perversa criatura que, sin escrúpulos, había destrozado su vida dejando en su corazón una sombra negra, cruel, una vida a la que ya nadie, ¡nadie!, sabría llevar un bálsamo reconfortante, porque se hallaba demasiado mancillado y destruido para encontrar quien supiera consolarle.

No oyó cómo la puerta se abría, ni vio la figura del director, que, lento, se aproximaba.

—¡Sir Foisle!

Alzó la cabeza con presteza, poniéndose en pie y tratando de sonreír.

—Perdone, sir Niel. Me había distraído.

—No se preocupe —sonrió el buen viejo—. He venido porque como ya la campana anunció la salida y no le vi salir, pues... temí le hubiera sucedido algo.

Foisle esquivó la mirada penetrante del director, diciendo como disculpa:

—He sufrido una distracción imperdonable.

Sir Niel sonrió comprensivo.

—No se preocupe —repitió, cariñoso—. Ya puede marchar.

—Miss Iwahinosky le llamó por teléfono.

—Vengo de allí. No se olvide de que por la tarde es preciso estudiar en su compañía algunos planos.

—Ya me lo advirtió.

—Entonces, hasta la tarde.

Sir Niel quedose solo y... pensativo. ¿Qué pasaba en la vida del nuevo ingeniero? Se hallaba impotente para precisarlo, pero, en cambio, estaba seguro de que aquel hombre, por una u otra causa, no era feliz.

Un momento después, ya ante el volante de su auto, exclamaba mirando cariñoso el rostro bello de Ketty, cuya figura, de pie a su lado, en el jardín del palacio, parecía oír atentamente.

—Lo creo leal y honrado; es más: sé que Renato está indignado contra él y esto es señal de que no admitió sus críticas. Todo ello dice mucho en bien del ingeniero, pero..., ¿qué es lo que ocultan sus ojos sombríos? ¿Su boca que se aprieta duramente sin sonreír jamás con amplitud? No me lo explico; sin embargo, puedo asegurar que oculta algo, algo no precisamente enlodado, pero sí funesto, en su existencia.

—Figuraciones tuyas, seguramente —sonrió Ketty.

—¡Quién sabe, aunque no lo creo así!

Cinco

Era alto, fuerte, ancho de hombros, cintura breve y esbelta. Ahora, embutido en el traje oscuro, parecía más interesante su figura arrogante y atlética. Ascendió con paso seguro por las amplias escalinatas del palacio; la carpeta bajo el brazo; la cabeza descubierta, peinado el cabello sencillamente hacia atrás, dejando al descubierto la frente despejada, denotadora de una inteligencia aguda.

Cuando los ojos penetrantes de Roberto Foisle se hincaron en la puerta color caoba, donde en letras niqueladas y grandes se leía DIRECCIÓN, tuvieron un destello extraño, como si con su reflejo quisieran aniquilar al mundo entero. Tal vez su pensamiento íntimo balbucía con ira aquello de «voy a entrevistarme por primera vez con una mujer, después de haber sido vejado por otra».

Para él no existía *la mujer*. En una las incluía a todas, ya que, al recibir tan cruel desengaño había sentido cómo su alma, siempre tolerante con el bello sexo, se alzaba ahora renegando de la felina maldad encerrada en todos los corazones femeninos. No se detuvo a pensar, porque no lo deseaba ciertamente, en que *todas* no son una, ni mucho menos, puesto que la vida se había formado de una sola manera, pero cada uno de los seres que la disfrutaban adquirieron distinto modo de vivirla y paladearla; en que no había una sola mujer que en su corazón guardara bellos pensamientos.

Desoyendo lo que dentro de su cuerpo continuaba batallando rencoroso, llamó discretamente y, luego de haber oído un suave «adelante», Foisle abrió la puerta, penetrando decidido en la inmensa estancia.

Cerró tras de sí. Miró después en derredor, encontrándose en una pieza enorme, blanca como copo de nieve. Cubriendo totalmente un tabique, vio una larga vitrina acristalada, llena toda ella de barcos minúsculos de mil formas diferentes. En el tabique paralelo se hallaba la gran biblioteca. El suelo de mosaico melado rutilaba como un espejo. Diseminadas por la estancia, algunas butacas acolchadas y una lámpara enorme de transparente cristal pendía del cielo raso. Luego... allí cayeron sus ojos, mucho más impenetrables que nunca, una mesa grandísima, inmensa, colocada frente al gran ventanal, cuyos amplios vidrios se protegían con los visillos de blanca muselina, defendiendo todo el despacho de los claros rayos del sol. Sentada tras la mesa, en el sillón giratorio, se hallaba Ketty Iwahinosky, la dueña de toda aquella riqueza, la mujer fría y altanera, según afirmaba Renato Lover.

Antes de que Roberto Foisle adelantara un paso, su mirada se cruzó rápida, como aleteo de mariposa sobre la flor, con las pupilas claras, de un verde transparente y puro, semejando las aguas de un lago tranquilo que, suaves y dulcísimas, sonrieran alentadoras, un algo tímidas.

—Buenas tardes —sonó inexpresiva la voz varonil.

—Adelántese, señor Foisle. —Hizo una pausa y, hurtando sus ojos de la mirada seria que parecía dura, cuyo destello le intimidaba a su pesar, añadió, cuando él, invitado por su gesto, tomaba asiento al otro lado de la mesa—: Deseo hacer un nuevo tipo de barco y, como pienso construir un yate para mi uso particular, he solicitado su concurso, esperando que ello no cause demasiadas molestias en su oficina. Además, supongo que ya sir Niel le habrá advertido de que el ingeniero naval, uno de ellos naturalmente, usted ocupa ese lugar, trabaja casi siempre en mi compañía. Tal vez le parezca petulante en mi pretensión —rió suavemente, alzando la cabeza y mirando distraída el lápiz con que sus finos dedos jugaban—, pero aun así quiero que sepa que todos los barcos, los más bonitos, los he diseñado yo, con ayuda, claro está, de mis ingenieros navales.

—Esperemos entonces —sonó impersonal la voz de Foisle— que ese yate sea una maravilla.

—¿Se burla?

Le miró de frente. Ni una sonrisa ni una mueca; su rostro se mostraba cual una máscara impenetrable.

—¿Por qué iba a burlarme? No es mi costumbre.

Dejó la carpeta sobre la mesa y, sin esperar la respuesta de ella —entendía, quizá, que no tenía ninguna que darle—, comenzó su trabajo, mientras Ketty seguía el ir y venir de su mano sobre el papel, preguntándose a la vez si Niel había acertado al afirmar que aquel hombre no era como todos.

Se discutió después sobre los planos. Ketty expuso una idea que él, sin preocuparse en absoluto de lo que ella pudiera pensar, refutó de un modo rotundo, indicando al mismo tiempo:

—Eso es muy bonito para un juguete. Si usted quiere un yate que a los dos días de navegación se rompa en dos mitades, tal vez sirva esta idea; de otra forma, imposible.

—Pero...

—¿Por qué le gusta más lo bonito, aunque sea frágil y despreciable, que algo que, aun cuando su expresión se muestre horrible, guarda una solidez a toda prueba?

Ella rió con gorjeo feliz.

—Es natural —dijo irónica—. También a los hombres les gustan más las mujeres bonitas, aunque por dentro estén vacías.

El rostro varonil se atirantó.

—Tal vez sea así, para nuestra desgracia, pero ahora no estamos hablando de mujeres. Hablamos, por el contrario, de algo bien diferente —hizo una pausa que empleó en morder con saña sus labios, añadiendo, rudo—: Haga lo que desee, pero desde ahora le digo que esos cascos frágiles, muy bien diseñados sobre el papel, tan pronto se lleven a la práctica en duras planchas de hierro, no guardarán armonía con las potentes maquinas que menciona. Para ello era preciso un motor de gasoil, pero menos potente, ¿comprende, miss Iwahinosky? Ese puente tan bonito que pintó ahí —señaló, desdeñosamente— haría del yate un gracioso columpio.

Ketty no acostumbraba a indignarse fácilmente y aquella tarde tampoco lo hizo, sino, por el contrario, rió ampliamente, mostrando ante el reconcentrado Foisle unos dientes preciosos, de una blancura alba, maravillosa.

—¡Qué gracia me hace! —dijo, entre hipos—. Es la primera vez que uno de mis ingenieros refuta mis planos.

—Dígame, miss Iwahinosky, ¿para qué me ha contratado usted? ¿Para velar por sus intereses?

—No continúe —sonrió, dulcemente—. Ya sé lo que me va a decir. Detesto los seres aduladores. Por eso nunca estuve contenta con mis ingenieros. Todos exentos de voluntad propia, siempre han aprobado encantados mis puntos de vista, y la verdad es que infinidad de veces comprobé que yo no llevaba razón. Por eso presiento que usted y yo vamos a ser dos grandes y leales amigos. Usted expone lo suyo, yo lo mío, llegando tal vez a un acertado acuerdo entre ambos. ¿No le parece, señor español? Ya sabía yo —continuó con un deje de fina ironía, sin dejarle a él replicar— que los españoles son lo suficiente hombres para no dejarse amilanar ante una mujer, ¿eh? —se puso en pie, añadiendo—: Por hoy ponemos fin; mañana a la misma hora continuaremos con estos asuntos. Me gusta su tipo de yate. Tal vez elija ése.

Un momento después, Foisle descendía lentamente por las amplias escalinatas de mármol, hasta verse en el jardín.

Iba pensativo. ¿Era aquella mujer la que Renato le había descrito? Entendió que no. De fría y soberbia no tenía absolutamente nada, estaba seguro. Recordó los ojos brillantes, dulces, maravillosos... La boca pura, jugosa, ideal. ¿Y el cuerpo? Se estremeció; esbelto, cimbreante, bello entre todo lo bello. Malhumorado, se encogió de hombros. Estaba furioso contra sí mismo, contra todo y más que nada contra el Destino que de nuevo le ponía ante una beldad femenina.

Habían transcurrido muchos días, cuando una tarde descendía lentamente por las escalinatas hasta llegar a su oficina. La halló solitaria. Ya todos se habían marchado. Pensó dolorido en la soledad de su piso enclavado allá, en un barrio lejano. Un escalofrío estremeció su cuerpo recordando la angustiosa soledad de que veíase rodeado.

¡Qué pena se inspiró a sí mismo, qué dolor más agudo invadió todo su ser! Algo estaba sucediendo dentro de él, algo que sin remedio tenía que vencer, que domeñar, como si fuera un pobre gusano infectado. Fuera impropio de él, después de haber sido escarnecido y burlado por una diosa de carne palpitante, volver de nuevo a sumergirse en el fragor de otra pasión.

Sonrió con esfuerzo. Él era un hombre, ella una mujer. Nadie sería capaz de contenerse ya. Su antiguo amor era cadáver. Otra pasión se alzaba ante sus ojos. Se conocía bien; sabía con precisión que su apasionado temperamento llegaría a estrellarse, de no desahogar. ¿Con quién? Contra la duda, quizá esa lo perseguía; había sido engañado una vez y, aun cuando matara de un manotazo el recuerdo, ése, quiera o no, se incrustaría con poderosa saña en su corazón de hombre. Nunca más podría ser feliz, ya que siempre había de creerse engañado. Las mujeres, ¡oh, las mujeres! Cómo habían acabado con su pobre alma. La habían mancillado, la pisotearon con crudeza y ya nadie sabría hallar el poder suficiente para desconcertarlo. Nada lograría conmoverlo, nadie conseguiría apasionarlo. Alcanzaba el flexible cuando vio la puerta que oscilaba, dejando paso al señor director.

—¿Todavía no se fue? —oyó que Niel preguntaba contrariado.

—Acabo de llegar de arriba.

—Ya —pareció quedar pensativo, añadiendo despacio—: Me parece usted un hombre honrado, Foisle. Por eso, arriesgándome a todo, le voy a decir que esta puerta... Dígame primero, ¿sabía que existía?

—No, ciertamente.

—Lo supuse. Mire —hizo una demostración pulsando un resorte—. Es un pasadizo que conduce al despacho de Ketty Iwahinosky. Existió siempre. Creo que lo hizo el abuelo de Ketty, que usando de ese pasadizo no tenía necesidad de salir al exterior cuando quisiera reunirse con su esposa en las habitaciones contiguas al despacho de Ketty, que ella ocupa ahora. Este pasadizo sólo es conocido por Ketty y yo, pues Irma nunca ocupó esas habitaciones y lo ignora, ya que el padre de Ketty guardó siempre el secreto.

—Yo también lo conozco ahora y lo siento —dijo, con pesar—. Es un compromiso para mí, señor director.

Enrique Niel golpeó cariñoso el hombro del muchacho.

—Vengo de ver a miss Iwahinosky. Ella me contó las discusiones de esta tarde, enseñándome a la par los planos sacados entre los dos. Me encanta su modo de ser. Es cierto que entré aquí creyendo hallar la oficina solitaria, pero no me pesa haberle descubierto este pasadizo. *Sé* que ya lo ha olvidado. ¿Me engaño, amigo mío?

—Está usted en lo cierto.

—Lo llevo en mi auto. ¿Me lo permite?

—No se preocupe, vivo bastante lejos y se le haría largo el camino. Muchas gracias, no obstante.

—Pues lo llevaré. Así charlaremos un rato más.

Subieron juntos al pequeño automóvil.

Al pasar frente al palacio, vieron a Ketty ya totalmente transformada, embutida en un trajecito blanco, el cabello suelto cayéndole por la espalda, cual una cascada, jugando al tenis con sus dos hermanitos.

—¡Tío Niel! ¡Tíooo...! —llamó a gritos la inquieta Alice.

El auto se detuvo y los dos chiquillos cayeron sobre él, abrazando cariñosos al aturdido viejo.

Ketty, con la raqueta en la mano, fue acercándose lentamente, hasta apoyarse en la portezuela frente a Roberto, cuyo rostro totalmente hermético se volvió a un lado dejando que sus ojos vagaran por el jardín, como si se hallara ausente de cuanto le rodeaba.

—¿Quién es ese chico que te acompaña, tío Niel?

—Un amigo.

Fue entonces cuando los ojos de Foisle fueron del jardín a clavarse en el rostro un algo pálido de Ketty, cuya boca sonrió con dulzura.

Alice se plantó ante él, manifestando, mimosuela:

—Si es tu amigo, también lo será de Ketty y mío.

—Y mío —saltó Adolfo.

—Lo es de los tres seguramente —sonrió Niel.

—¿Es verdad?

—Lo es.

Alice indicó indiscreta, pero simpatiquísima:

—Debes sonreír para decirlo. No me gustan los amigos serios.

—¡Alice!

La chiquilla sacudió la cabeza. Todos rieron. También Foisle esbozó una media sonrisa.

—¿Verdad que vendrás mañana? ¿Cómo te llamas?

—Roberto.

—¡Huy, qué grande! Me gusta más Rob, eso es. Te llamaré Rob.

—¡No! —gritó con voz ronca.

Todos lo miraron; él, impotente, ocultó el rostro entre las manos, a tiempo de gemir ahogadamente:

—¡Perdonen! Soy un imbécil.

Ketty y Niel cruzaron una mirada interrogante y el auto arrancó raudo, seguido por los ojos húmedos de Ketty.

—¿Qué le pasaba, Ketty?

—Calla, nena, calla. Has sido indiscreta, ¿oyes? Te has portado muy mal. Ese chico sufre.

—¿Por qué? —preguntó Adolfo.

—Lo ignoro.

Ambos chiquillos quedaron pensativos, mientras que su hermana permanecía allí apoyada contra el tronco de un árbol, pensando en el grito angustioso de aquel hombre extraño. ¿Qué le sucedía? ¿Por qué su sonrisa parecía una mueca? ¿Qué clase de sufrimiento se cernía en torno al corazón de Foisle? ¿Por qué el nombre de Rob lo había sacudido en doloroso estremecimiento? ¿Qué recuerdo arrastraba aquel nombre para él?

Entretanto, el auto seguía corriendo. Enrique Niel al volante; Foisle aún con el rostro oculto entre las manos. Cuando el vehículo se detuvo, descendió Foisle sin haber pronunciado aún una sola palabra. Niel lo miró, pero nada dijo, sin embargo.

Se oprimieron las manos con fuerte y cordial apretón, despidiéndose así hasta el día siguiente.

Nadie sabe lo que Foisle agradeció la discreción del buen viejo.

Seis

Han pasado unos meses de los hechos narrados en el capítulo anterior.

El yate había sido construido en miniatura por las hábiles manos de Roberto Foisle. Parecía una joya; resultaba algo tan admirable como seguro y hermoso.

—Es precioso —había exclamado Ketty, cuando Foisle lo colocó en la vitrina.

—Me alegra que le guste.

Continuaba tan serio como en un principio. Sus ojos mostraban una impasibilidad extrema: parecía que nada le conmovía, que todo le era indiferente. Tampoco veía el sentimiento inspirado en el corazón de Ketty. Toda su expresión era cual un mármol. Jugaba alguna tarde con Alice y su hermano por no pecar de descortés, pero siempre, en todo instante, mostrándose invulnerable ante el dolor y la alegría.

Esta tarde, sentados frente a frente ante la gran mesa del despacho, trabajaban un tanto distraídos.

—¿Todos los españoles son como usted, señor Foisle? —preguntó Ketty, casi sin darse cuenta.

Él estudiaba atentamente unos planos y, sin alzar la cabeza, interrogó:

—¿Y cómo soy yo?

—Serio, reconcentrado...

—No siga. ¿Son todas las inglesas como usted, miss Iwahinosky?

—Pues, ¿cómo soy yo? —rió ella, divertida.

—Bonita, preciosa, simpática...

—¡Huy, huy...! ¡Qué amable se halla hoy el serio español! Yo no soy inglesa.

—¿No?

—Soy rusa. Mi madre era inglesa, pero papá no. Yo nací en Vitebsk.

—Ya.

—Dígame.

—Pues no sé. En España hay de todo, como aquí. Se miraron. Ketty sonrió tímidamente. Él la observaba como si fuera aquella la primera vez que la viera.

—¿Tengo algo raro?

—¡Oh, no! Perdone.

De nuevo se enfrascaron en los planos, claro que Foisle, por primera vez, no veía las rayas trazadas. Parecía que ante sus ojos bailaba un rostro ideal, terso, de un tono mate suave, unas pupilas claras, transparentes. Un cuerpo bello, airoso, de líneas puras, armoniosas, embutido en el modelo blanco de deporte, y los cabellos notando como cascada al viento exhalando un perfume exquisito, el mismo que ahora parecía embriagarlo.

Alzó brusco la cabeza y halló los ojos verdes clavados en él. Aquellas pupilas estaban húmedas, melancólicas. Cerró las suyas y, bajando otra vez la cabeza, murmuró lentamente, casi imperceptible la voz enronquecida:

—¿Por qué cuando trabaja se viste con esos trajes oscuros y se recoge el cabello hacia arriba? Así parece mayor; de esa otra forma está mucho más bonita, mucho más.

—Se me antoja más propio vestirme austeramente cuando vengo al despacho. ¿A usted no?

No respondió.

Tardó en alzar la cabeza; cuando lo hizo, Ketty tembló, sacudida por una sensación extraña. Aquellos ojos pardos, sólo por un segundo, menos tal vez, habían dejado de ser dos gemas inexpresivas, para convertirse en un fuego intenso que quemaba hasta más allá de su alma.

—Me gusta de todas formas —exclamó la voz más ronca que nunca; luego se puso en pie y apretando los ojos y los puños, se dijo rudo, desesperado—: Está jugando conmigo para después avergonzarme, humillar mi dignidad de hombre como hizo la otra. Soy un insensato. Pero, ¡oh, no! Tu sexo no logrará enloquecerme de nuevo. No conseguirás hacer de mi voluntad un guiñapo porque antes os mataré. —Fue hacia la puerta y antes de haber desaparecido, rugió como un trueno, despidiendo llamaradas por sus ojos de fuego—. ¡No me engañarás! ¡Oh, no! ¡Os odio a todas!

Oyó la puerta cerrarse. Miró atontada en derredor, dejándose, por último, caer en el sillón giratorio.

¿Qué había sucedido? ¿Qué había deseado expresar ese hombre?

Ocultó la cabeza entre los brazos y, muy calladamente, lloró con desesperación.

Lo quería. ¿Cómo podía suceder de otro modo, si él era el tipo de hombre por ella anhelado? Lo había empezado a querer desde el primer día que lo vio a través del visillo, y ya le sería imposible vivir si no era a su lado. ¿Que cómo empezó a quererlo? ¡Qué más daba! Lo amaba y eso era suficiente para su desgracia, tal vez.

¿Qué expresaba aquel gesto adusto de poco antes? ¿Es que el sufrimiento de Foisle era ocasionado por una mujer? ¿Es que no había de volver a verlo? ¡No! ¡Era imposible, haría...! ¿Qué? Sonrió entre lágrimas. Nada ya, estaba segura.

Primero, él no la amaba. Luego... ella se hallaba condenada a la soltería hasta no haber cumplido los veinticinco años. ¡Qué lejos le parecían!

Las doce de una noche plácida, serena, callada.

Con pasos que parecían cansados, caminaba Roberto Foisle hacia adelante, siempre hacia adelante. Ni sabía por dónde iba, ignoraba por qué había salido del piso. ¿Sería que éste le ahogaba? Tal vez sí, le asfixiaba. Era ésa la verdad.

Dentro de su cuerpo batallaba el temor, la duda quizá. ¿Es que era tan débil? ¿Cómo se había dejado vencer de aquella forma tan simple? Y es que este nuevo amor se mostraba más, mucho más intenso que el otro. Aquél posiblemente no había sido amor, ya que el presente, el que Ketty Iwahinosky le inspiraba, sobrepasaba los límites. Era más bien desesperación.

Lo más acertado hubiera sido alejarse, cambiar de ambiente, consagrándose a... ¿qué? —se encogió de hombros—, a cualquier cosa, con tal de apartar aquella intensa pasión, cuyo poder aún ahora le estremecía.

Además, no ignoraba que Ketty, alma sencilla y exquisita —era leal reconociéndolo—, nunca sería feliz a su lado. Estaba demasiado desengañado de la vida para de nuevo creer en ella. La haría infeliz con sus dudas; la torturaría con su temperamento apasionado y... ¡Era imposible buscar el remanso, cuando ya se hallaba perdida toda su fe en las mujeres!

¡Cómo y de qué forma más intensa odió a la muerta, causante de toda su aridez interior! Si él pudiera desechar el recuerdo, si él pudiera...

Mentalmente, rezó aquello que el profesor les mostraba en el colegio para analizar:

> Sufre, si quieres gozar;
> baja, si quieres subir;
> pierde, si quieres ganar;
> muere, si quieres vivir...

—¡Muere si quieres vivir...! —se oyó decir a sí mismo en el silencio de la noche.

¿Sería aquello el descanso? ¿Moriría el recuerdo con la muerte? ¿Comenzaría a vivir verdaderamente? ¿No decía también: «Sufre, si quieres gozar»? Él la estaba sufriendo, pero no gozaba, no. Si el goce se experimentaba en la otra vida por todos los dolores padecidos en ésta... era demasiado humano para someterse a la espera. Sabía muy poco de los goces espirituales, porque siempre se había alentado más con los sentidos que con el corazón. Ahora, sin embargo, comprendía que el amor experimentado por Ketty tenía tanto de espiritual como de humano. Ella era ideal, era la inspiradora de las grandes pasiones, pero también dejaba lugar al estremecimiento íntimo, puesto que a sus ojos verdes, limpios como lago puro, se asomaba un alma grande, espiritualmente hermosa, y él, vencido al fin, se confesó náufrago en aquel mar bello que lo trastornaba.

Había luchado tenazmente para librarse de la soga opresora, había desesperado por no hallar un rincón donde asirse, y ahora que se veía acorralado se dijo que los clavos difíciles de entrar eran los más duros para salir y así era en su corazón el amor a Ketty. Había luchado con denuedo para impedir su entrada; después de tenerla dentro, ya no lo podía extirpar.

El sonido de un claxon se oyó muy próximo. Un auto pasó raudo, pero luego Foisle oyó el brusco frenazo, y una voz femenina rompió el callado silencio nocturno:

—Suba, Foisle... Pero, ¿qué es lo que hace en estos parajes?

En dos zancadas se halló al lado del auto.

Ketty Iwahinosky le sonreía, sentada ante el volante. Vestía un modelo de noche, blanco, dejando al descubierto los mórbidos hombros. La capa veíase tirada, como al descuido, en un rincón del lujoso vehículo. Los ojos de Foisle fueron de los hombros al cabello, que, más negro que nunca, parecía azulado, cayendo como manto, acariciando dulcemente la nuca blanca, hasta reposar en los hombros tersos, ideales.

Ella apagó los focos; y en la oscuridad se encontraron sus ojos, brillantes de pasión y ternura.

—¿No sube, Foisle? —musitó la voz temblorosa.

—¿De dónde viene usted?

—Iba...

—¿Adónde? —pareció ruda la voz varonil.

—No lo sé. Salí a la aventura; tal vez con intención de contemplar un espectáculo nocturno.

Al hablar, abría la portezuela. Foisle pareció dudar; después, sentóse a su lado.

La figura alada, exquisita... La noche. El perfume que lo fascinaba; todo parecía embrujarlo, enloquecerlo.

—Espera —pidió, viendo que Ketty iba a arrancar—. Déjame besarte, Ketty, déjame; voy a morirme si no lo hago.

—Pero...

—No me preguntes si te quiero; piensa en este momento, tan sólo en que es nuestro, en que... ¡Ketty, déjame!

La oprimió contra su pecho. La chiquilla no opuso resistencia; ya no sabía. Muy próximos sus rostros, se miraron intensamente con desvarío, temblorosos, emocionados.

—Dime algo, Ketty; no me llores. Piensa en que momento como éste jamás hallaremos otro. Déjame matar el pasado, déjame ahogarlo en este amor que nos aprisiona ahora. Dicen que en toda una vida tan sólo se viven seis minutos de felicidad. Tú y yo los estamos viviendo ahora... ¡Ketty, nena!...

Los brazos desnudos de la chiquilla se alzaron, empujados, tal vez, por una fuerza superior a sus deseos, hasta rodear el fuerte cuello, mientras la voz tenue se oía susurrante, vencida:

—Te quiero, chiquillo mío; me es imposible, no puedo negarlo; lo verías en mis ojos, en mi voz que tiembla, en todos mis movimientos, que... que... ¡Te amo, Roberto!

Siguió un beso que ella devolvió con ansia, con anhelo. Fue muy largo, inacabable. Continuó un balbuceo, un sollozo después... Ninguno de los dos sabría decir lo que sucedió más tarde...

El auto corría con velocidad suicida. Se detuvo primero en casa de un pastor. Media hora después, el padre Wolmire los despedía en la puerta. El auto corrió de nuevo, hasta detenerse ante el piso de Roberto Foisle.

—Eres mi mujer —dijo él, intensamente apasionado cuando se vieron en el interior del piso.

—¡Soy tan feliz, Roberto...!

La cogió en brazos. Estaban locos. Ignoraban lo que hacían. Ella sólo quiso comprender que era dichosa como jamás lo había sido, y con vehemencia correspondió al amor de aquel hombre, tan serio y reconcentrado antes, pero aquella noche un volcán de locura y pasión...

Se olvidaron de todo. La noche corría desbocada; se aproximaba la aurora. La reacción aún no había llegado; cuando lo hiciera ya había de ser tarde, muy tarde para remediar aquello... Sin embargo, los momentos de felicidad vividos ya nadie, ¡nadie!, lograría quitárselos.

Siete

Abrió los ojos. ¿Es que lo había soñado? ¿Es que todo había sido cierto? ¿Dónde se hallaba? Miró en derredor. Todo estaba oscuro; solamente por la rendija del balcón penetraba un haz de luz muy tenue; pudo con su ayuda contemplar el cuarto... Las paredes tapizadas, muebles austeros. La ropa de ella, tirada de cualquier forma sobre una butaca... Se oprimía las sienes con ambas manos. Lo recordaba todo... Estaba casada con... —miró a su lado—, con aquel hombre que casi le era desconocido. Lo contempló en silencio, con arrobo, con ternura. Desconocido, no. Era su marido; el marido que ella siempre había anhelado; apasionado, tierno, dulce, comprensivo... ¡Cómo lo adoraba! Él dormía a su lado plácidamente; su boca parecía sonreír con dulzura. ¡Qué guapo era; qué hombre, qué...! ¡Dios mío! Recordó el testamento, la cláusula que ella, inconsciente, tal vez ansiosa de vivir un poco de felicidad, había violado sin escrúpulo alguno. ¡Oh, qué dolor más agudo le traspasó el alma! Había que renunciar... ¿Renunciar? Eso ya era, imposible. Sin él no sabría continuar viviendo, puesto que Roberto era toda su vida.

Los ojos verdes fueron del rostro amado a posarse en el reloj sito en la mesilla de noche; marcaba las once de la mañana. ¿Qué pensarían en casa? Era preciso volar hacia el palacio antes que se diera el grito de alarma, y, si ya estaba dado, acallarlo con su presencia. ¿Qué disculpa hallar? Aún lo ignoraba.

Saltó del lecho. Con premura se vistió, mientras, aterrada, pensaba cómo había de ser recibida en el palacio, ataviada aún, a las doce del día, en lujoso traje de noche. No importa. Era una nueva lucha la que se le planteaba, pero ésta más dolorosa, por ir en ella todo su corazón, su alma entera.

Miró la calle, mientras en silencio, para no despertar a Roberto, peinaba sus cabellos. Respiró ampliamente cuando comprobó que el auto seguía detenido ante la acera.

Cogió la capa, y después, mirando, húmedos de llanto los bellos ojos, el rostro sereno del único hombre que ya para siempre reinaría en su corazón, salió de la estancia, bajando la escalera hasta la calle —desdeñó el ascensor; tal vez así creyó que llegaba más pronto— y subió al auto, que, raudo, emprendió la dirección de los astilleros.

Media hora después frenaba en un recodo del jardín. Miró en derredor; nada vio. Como un meteoro desapareció por las escaleras que la conducían a su despacho, cuya puerta abrió bruscamente, penetrando en la estancia, al tiempo que un grito de alegría salía ahogado de la boca de Niel, cuya figura se alzó presta, abrazando estrechamente el cuerpo de la chiquilla, quien, casi desmayada en los brazos amigos, sollozaba desesperadamente.

—Nena mía. Ketty... ¿Qué ha sucedido? ¿De dónde vienes a estas horas y vestida de esta manera?

Se redoblaron los ahogados sollozos, mientras la voz débil se oía desfallecida:

—No me preguntes, viejecito mío; ¡no quieras saber!

—¡Ketty...!

—¡Ten compasión de mí!

—¿Qué has hecho, Ketty? —gritó, alarmado, apartándola de sus brazos y mirándola inquisidor.

—Nada de que pueda avergonzarme, viejecito querido; pero no me preguntes. ¡No me tortures! —sollozó, dejándose caer en una butaca.

El viejo se paseó, agitado.

—¿Lo sabe alguien, Enrique...? —preguntó, trémula.

—No; no quise dar el grito de alarma, ya que entonces Irma tendría motivos más que sobrados para censurarte. Pero aun cuando soy yo sólo el enterado de tu salida nocturna, necesito saber dónde has estado. Esto no es corriente en ti, Ketty; tú lo sabes muy bien. Es la primera vez, desde que has nacido, que hiciste algo que yo desapruebo.

—Lo sé, Enrique; pero tampoco es menos cierto que nunca te diré dónde estuve. No quiero morir, y por eso, dándote tan sólo mi palabra de que nada censurable hice, creo no tendrás inconveniente en darme ùn abrazo y otorgarme tu perdón.

—¡Ketty...! .

—Sé bueno, amigo mío —suplicó, besando amantísima el rostro rugoso, terriblemente emocionado—. Te juro que nunca más tendrás queja de mí.

—Así lo espero —confió, ya vencido—. Confío en ti, y por eso te otorgo el perdón solicitado, pidiéndote a la vez que vayas a cambiarte de ropa. Y voy a atender las oficinas, pues hoy no sé qué sucede, ya que Foisle no acudió al trabajo.

El cuerpo de la chiquilla, ya perfilado en la puerta de su cuarto, se estremeció violentamente, mientras que a sus ojos acudía un vaho de lágrimas.

No hacía ni un cuarto de hora que se había instalado en el sillón giratorio cuando oyó los pasos recios y, antes de haber salido del sobresalto, se abrió la puerta, dando paso a un Roberto pálido y desencajado, cuya boca fuertemente apretada parecía una roja recta.

Cerró la puerta tras sí y avanzó lentamente, sin dejar de mirar el rostro de Ketty, cuyo color se tornó rojo.

¡Cuántos y cuántos pensamientos y recuerdos cruzaron como relámpago por la mente de ambos! Fue ella, tal vez menos dueña de sí, la que corrió hacia él, estrechándose apasionada en sus brazos.

—¿Por qué me has dejado...? —No preguntaba; más bien parecía dolerse de sí mismo.

—Tenía que hacerlo, Roberto; era preciso.

—¿Olvidaste, pues, que eras mi esposa?

—No, Roberto; eso jamás podré olvidarlo —susurró, arrebujándose contra el pecho fuerte que jadeaba—. Te quiero demasiado.

—¿Por qué, entonces, no te has quedado allí?

Lo miró dulcemente. Él estaba serio, ceñudo. Sus ojos, brillantes como nunca, parecían quemar sus carnes.

—Siéntate —pidió, trémula—. Tengo que hablarte de algo que ignoras.

—No quiero saber nada; todo me es indiferente. Tan solo recuerdo que tú eres mía, que te quiero, que deseo llevarte conmigo.

—¡Oh! —sollozó, apartándose de sus brazos y yendo hasta el sillón, donde se dejó caer—. Compréndeme, Roberto. Es preciso que razones.

—No existe más razón que ésta: te amo, ¿entiendes?, ¡te quiero para mí solo! Deja esto en manos de quien sea, pero tú irás a mi piso, para consagrar tu vida a la mía, como yo te la doy toda a ti.

Se había sentado en el brazo del sillón que ella ocupaba. Ketty dejó caer la cabeza sobre las rodillas varoniles, susurrando, mientras él sumergía los dedos en el cabello ondulado.

—Cuando mi padre murió, dejó una cláusula en el testamento que consistía en que yo, por ningún motivo, podría casarme hasta tanto no cumpliera los veinticinco años. Tengo veintiuno ahora; me faltan cuatro.

—¡Ketty!

—No te muevas. Quédate así. —Alzó sus ojos suplicantes; él se inclinó y los besó apasionado—. Te quiero con toda mi alma, chiquillo mío. Ayúdame, Roberto. Guardemos nuestro matrimonio, vivámoslo solos.

—Pero, nena.

—Si yo me caso antes de cumplir la edad, Irma tiene derecho a la tutela de mis hermanos. Ella se pondría con sus hijos al frente de esto y entonces, ¿no adivinas adónde iríamos a parar? La ruina más espantosa se cerniría sobre mis hermanitos. A mí no me importaría quedar sin nada; viviría feliz de tu trabajo; pero, ¿y ellos? Tienes que ayudarme. Tú te quedarás de director, pues ya sabes que Enrique desea marchar a Francia, donde tiene a su familia. Solamente esperaba hallar un ingeniero competente, y, ¿quién mejor que mi marido? —susurró, al mirarlo zalamera.

Él la oprimió muy fuerte contra su pecho.

—Tú bien sabes que el dinero me es indiferente; pero por ser feliz a tu lado... ¿Sabe Enrique algo?

—No quiero que lo sepa.

La miró intensamente.

—Ketty, aunque te ayude, aunque ponga toda mi voluntad en complacerte, ¿estos días...? ¿No comprendes que te quiero demasiado para renunciar al placer de tenerte a mi lado?

Lo miró apasionada a los ojos. Sumergió sus temblorosas manos en aquella cabellera negra inclinada hacia ella, y dijo, bruja, coquetuela:

—Me ha dicho Enrique que conoces el pasadizo secreto. ¿Es cierto?

—Sí. ¿Y qué...?

—Por él puedes venir a reunirte conmigo cuando quieras.

—¡Siempre, siempre!

—Loco mío, ¡qué suerte hemos tenido! ¿Te das cuenta? Ambos coincidimos en todo, pues yo también quiero estar siempre a tu lado.

—Eres bruja y me...

La besó apasionadamente.

Ocho

—¿Es que no va a venir hoy Roberto, Ketty? ¿No me oyes, Ketty? ¡Oh, Ketty, hermanita! ¿En qué piensas? ¡Qué rabia! Adolfo, dile a Ketty que me conteste.

—¿Callarás, pelma?

—Bobo... ¡Kettyyy...!

La aludida se volvió, sobresaltada.

—¿Qué quieres? Cuidado que te has vuelto empalagosa...

La chiquilla gimió entre hipos.

—Ya no quieres a tu nena Alice... —Y lloró quedito.

Ketty apartó la vista de la pista de tenis, donde Berta y Roberto jugaban una entretenida partida, para posarla en el rostro contrariado de su hermana.

—Cariñito... —musitó, abrazando muy fuerte el cuerpecito tembloroso—. Ketty siempre quiere a su hermanita buena.

—¿Por qué, entonces, no me contestas?

La besó apasionada, ahogando en el abrazo su profundo dolor. ¿Cómo decir que su distracción la ocasionaba la coqueta Berta al acompañar a su marido?

—Es... es que pensaba en otra cosa y...

—Ahora siempre piensas en otra cosa, Ketty —dijo Adolfo, dejando el balón a un lado y aproximándose a sus hermanas—. ¿Te has fijado? —continuó, un algo irónico—. El ingeniero naval parece conquistado. No me explico cómo hay hombres capaces de pasarse dos segundos con esa tonta. En fin, para todo hay gustos; el de Roberto es bien pobre. ¿No te parece?

Ketty ocultó el rostro en la rubia cabeza de Alice, al tiempo de observar con bastante naturalidad:

—Son cosas que nada nos interesan. Es un hombre libre; ella lo es también: pueden hacer lo que quieran.

—No lo discuto; pero, aun así, nadie es capaz de hacerme comprender que esa coqueta no es igual que nuestra gatita de Angora; anda a todas horas tras del gato del portero.

—¡Adolfo...!

—¡Bah! —se encogió de hombros—. ¿Para qué disimular, si piensas como yo? Ese hombre tenía todas mis simpatías; pero desde que juega todas las tardes con Berta, ha desmerecido mucho en mi concepto.

—Debe de importarte muy poco —indicó Ketty, poniéndose en pie y dándole la espalda—. Tú aún eres un niño. ¿Qué concepto ibas a formar?

—No pretendo ser más que soy, pero, aun así, en mi concepto de niño, sostengo que descendió considerablemente desde que lo he visto en un salón de té con... esa estúpida.

—¿Qué dices, Adolfo? ¡Eso no es cierto! ¡No puede serlo! ¡Foisle no podía ser, estoy segura! ¡No es posible!

Los ojos de Adolfo se posaron inquisidores en el rostro descompuesto de su hermana.

—Pues lo es, Ketty —dijo, encogiéndose de hombros, sin comprender por qué las pupilas de la muchacha tenían aquella expresión de amargura y dolor—. Eran las ocho de la noche. Él entró allí justamente cuando Berta lo hacía por la otra puerta. En fin, chica, creo sin lugar a dudas que ya estaban de acuerdo para encontrarse en el café. Mira —añadió, dando media vuelta—, ha terminado la partida. ¿Vienes, Alice? No tengo ningún deseo de ver los rostros de ese par de langostinos.

—¿Tú no vienes, Ketty? —preguntó Alice uniéndose a su hermano.

La voz de Ketty sonó impersonal:

—Sí; pero a mis oficinas a terminar mis trabajos.

—Hasta la cena, entonces.

Los miró alejarse. Giró los ojos después hasta la pista; allí, para su tortura, continuaban, en animada charla, Berta y Foisle. ¡Qué pena y qué ira al mismo tiempo la sacudió toda! ¡Qué deseos tuvo de correr hasta ellos y...!

Esbozó una sonrisa, mientras, hundiendo las manos en los bolsillos de la faldita blanca, enfiló los escalones, hasta verse en su despacho.

Tres meses hacía que se habían casado y dos que Niel se había ido a Francia, dejando a Roberto de director.

¿Que si fue feliz en esos meses? Intensamente, como jamás había soñado. Pero... hacía de ello un mes escaso, Berta, de regreso de Londres, más coqueta que nunca, buscaba la compañía de su esposo con intenciones nada tranquilizadoras, estaba segura.

Cierto era, y ella no lo ignoraba, que si Foisle atendía sus ruegos, sólo un fin lo empujaba: impedir por todos los medios que Irma y sus dos hijos sospecharan el lazo tan íntimo que los unía. Pero, ¿y el sufrimiento de ella, entretanto? Eso nadie, nadie podría evitarlo. Y es que hasta casi dudaba del amor de Roberto. ¿Quién le hubiera impedido eludirse diplomáticamente cuando Berta lo buscaba?

¿Era, acaso, que su compañía le agradaba?

Muy despacio penetró en su alcoba. Se tendió en la cama y, con las manos cruzadas tras la nuca, continuó pensando en todo aquello que alteraba su tranquilidad anterior.

¿Cómo era posible que Foisle se citara con Berta en un café público? Pero si es que él podía hacerlo; todos los derechos le asistían, ¡todos! Sin embargo, no creyó posible aquello; hasta le pareció indigno suponer siquiera que todo pudiera ser cierto. Es que Adolfo se habría engañado; era...

Vio cómo la puerta oscilaba lentamente, hasta que, ya abierta del todo, dio paso a un Roberto ansioso, cuyos ojos brillaban apasionadamente.

—¡Nena...!

Corrió hacia ella, que hacía intención de incorporarse, pero, antes, él la abrazó fuertemente, mientras, mirándose en las pupilas empañadas, susurraba con vehemencia, con febril ansiedad:

—Otra vez te has enojado, chiquilla mía.

—Déjame; suelta.

—¡Ketty!

Ella se desprendió de sus brazos, saltando al suelo. Arregló los cabellos ante el espejo. A través del cristal, veía el rostro descompuesto de él, cuyo color se tornaba palidísimo.

—No te disculpes, Roberto; no es necesario —murmuró, dando media vuelta y quedando frente al ingeniero—. Comprendo tu situación, pero... considero esa amistad demasiado...

—No blasfemes. Además, ¿por qué iba a disculparme? Tú bien sabes que para mí sólo existe una mujer.

—Pero, aun así, buscas la compañía de otras.

—Me buscan.

—Elúdelas.

—Eso no es posible.

—¿Lo ves? Si no te complaciera, ya la rehusarías. No te alteres; no ignoras que digo la verdad.

—¡Santo Cielo! —saltó, alterado, cogiéndola en brazos y apretándola contra su pecho—. ¿Cómo puedes decir eso si para mí sólo existes tú? ¿No te estoy dando pruebas de ello? ¿No? ¡Mírame! —pidió, apasionadamente—. ¿No ves en mis ojos un mundo de amor que es todo tuyo? ¿Es que quieres enloquecerme?

Hizo intención de besarla, mas la palma de la fina mano temblorosa tapó la boca ansiosa.

—¡No quiero que me beses!

—¡Ketty!

Se miraron fijamente.

—No podría soportar tus besos si tuviera la certeza de que Berta los compartía conmigo. ¿Comprendes? Me han dicho que en un salón de té te reunías con ella. Si supiera que eso era verdad, jamás, jamás querría volver a verte a mi lado.

Siguió un silencio. Los ojos de Foisle adquirieron una expresión indefinible y que parecía de fiebre.

—¿Lo has creído? —sonó ronca la voz del hombre.

—Tú no lo niegas.

—Porque mentiría. Me reuní con ella por casualidad; como si allí encontrara a otra de tus amigas. No creas que me disculpo; nada de eso. Lo hago... —hizo un gesto vago— por mi propia tranquilidad.

Retrocedió unos pasos, yendo hasta la puerta incrustada en la pared.

—Siento tener que marchar; hay mucho trabajo en la oficina, y voy a atenderlo; espero que, entretanto, medites y... razones.

—Espera.

—Ya me lo dirás después... ahora no tengo tiempo.

Se quedó sola. Miró la puerta por donde acababa de desaparecer él, hasta que un espeso paño puso celajes en sus anegadas pupilas.

Dejose caer en una butaca y, apoyando la cabeza en el respaldo, quedó quieta, estática, mirando el techo con fijeza, dejando que en su corazón penetrara una pena muy grande.

Lo conocía bien. Estaba segura de que ya no volvería, y ¡qué dolor más agudo le atenazó el alma! Si lo viera ante ella otra vez, ¡con qué ansia lo estrecharía en sus brazos, solicitando un perdón por sus tontas brusquedades! Había obrado precipitadamente, lo sabía. Tampoco ignoraba que el amor de Roberto era sólo suyo. ¿Por qué se había dejado guiar de los celos?

Necesitaba verlo; hablar con él aquella misma tarde. Era preciso. Más que nunca necesitaba su apoyo, su cariño, la ayuda moral y material.

Miró el reloj; marcaba las siete de la tarde. Ya los astilleros estaban cerrados. Supuso, sin embargo, que él aún se hallaría en las oficinas, y, poniéndose en pie, alcanzó el auricular.

—¿El señor director?

Una voz gangosa replicó, desde el otro lado:

—Hace unos tres cuartos de hora que se ha marchado.

—Gracias.

Colgó lentamente. Un vaho de lágrimas veló sus ojos bonitos. En seguida volvió a alcanzar el auricular, marcando temblorosa otro número.

—Roberto...

Se estremeció. Al otro lado se oyó la voz inconfundible.

—¿Qué deseas, Ketty?

—Necesito hablar contigo. ¿Puedo ir un momento?

—Ya sabes que esa pregunta sobra. Esta casa es tanto tuya como mía. Te espero.

Sintió un chasquido. La comunicación quedaba cortada; pero aun así, pese a lo brusco que le pareció, una oleada de ternura le traspasó el alma.

Le abrió él mismo la puerta. Desde luego, no tenía nadie que lo hiciera, puesto que, por lo anormal de su situación, y como Ketty visitaba con frecuencia el pequeño piso, permanecía sin criados, ya que Foisle hacía las comidas en un restaurante.

—Hola.

—Hola —replicó él, reprimiendo la ansiedad.

Penetraron en el saloncito contiguo a las habitaciones del ingeniero. Él la ayudó a despojarse del abrigo de entretiempo y, después, cada uno ocupó butacas diferentes. Era la primera vez, desde que se habían casado, que una tirantez se erguía entre ellos, y, a causa de lo poco frecuentes, con mayor motivo la sentían los dos, ya que ambos anhelaban estrecharse en apretado y amoroso abrazo.

En principio no fue así, sin embargo.

—¿Qué tenías que decirme, Ketty?

—¡Tantas cosas...!

—Empieza, pues.

—¡Oh! —sollozó, ocultando la cabeza entre las manos—. Viéndote con esa cara seria y distanciante, jamás podré hacerlo. ¡No podré!

El ingeniero se levantó, como impulsado por un resorte.

—No me llores, Ketty. Por el amor de Dios, olvidémoslo todo. Piensa en que... en que nos casamos hoy. Yo te amo más que nunca, si esto es posible; ¡tú también me quieres, lo sé..., Ketty!

Estaba arrodillado a su lado. Con ternura y mimo separó las temblorosas manitas del rostro húmedo. La miró luego, arrobado en las pupilas soñadoras que parecían implorar.

—No creo que fueras al café... con... con Berta. Se había estrechado contra él, ocultando el temblor de su pecho.

—Si es que fuiste, creo lo que me has dicho antes, lo que me dijiste esta tarde —musitó dulcemente—. Perdóname. No puedo vivir sin ti, cariño mío. ¡Te quiero tanto, Roberto...!

Él sonrió, hechizado.

—Para perdonarte, tienes que darme el beso que me negaste esta tarde.

Los brazos femeninos cercaron el cuello querido.

—Uno, no; todos, todos los que quieras.

La besó, apasionado. Fue largo, inacabable, tal vez, ya que la voz de ella se oyó tenue, mimosa:

—Quiero quedarme contigo hasta mañana.

—¿Lo harás?

Se miró tiernamente en aquellos ojos amados, cuyos destellos la intimidaron un poquito, pero aun así susurró con fuego:

—Aunque tú no quieras.

—¿No me ves? ¿No te das cuenta de que lo estoy deseando? ¿Ignoras acaso que hoy voy a creerte más mía que nunca?

Habían transcurrido ya muchas horas cuando ella dijo, ocultando el rubor en el pecho querido:

—Aún no te he dicho por qué había venido.

—A traerme tu amor.

—Y... una noticia...

—¿De qué? ¡Me estás asustando!

—Sin motivo, ya que... Estoy asustada; tienes razón.

—¡Ketty!

—Vamos a tener un hijo, Roberto.

—¡Chiquilla!

—Es un contratiempo.

—¿Contratiempo? ¿Estás loca? Es la más maravillosa alegría que jamás tuve en mi vida. Adoro a los niños; te adoro a ti porque me vas a hacer padre, y... ¡Oh, Ketty! Me parece que no merezco tanta felicidad.

—Tengo miedo.

Él la consoló, tiernísimo, concluyendo por susurrar, con un mundo de ternura en la voz suavísima:

—No te preocupes; todo se arreglará.

Ella posiblemente lo entendió así, ya que, olvidándose de que Irma buscaba tan sólo una falta para destruir su tranquilidad, quedose allí sin pensar en el futuro, viviendo solamente el presente, porque éste se le mostraba de lo más inefable.

Nueve

—¡Cómo! Berta, mira. ¿Te fijas? La mujer de negocios llega ahora al palacio. ¿De dónde viene? Son las ocho de la mañana. Pero..., ¿te das cuenta? ¿Es que regresa?

—No es posible, mamá.

De un brinco, Berta saltó del lecho, asomando los ojos tras el visillo desde el cual su madre acababa de hacer tan feliz descubrimiento.

—¡Qué suerte que hoy me levanté temprano! —observó la dama, alegremente—. ¿Lo hará así todos los días?

—¡Por Dios, mamá! No argumentes ahora. A lo mejor viene de misa.

—Sí; con traje de tarde y en auto. Ketty tiene algo por ahí. ¿Un amante? ¿Amigo? ¿Esposo...? ¿Eh...? —Dio media vuelta, asustada de su propia idea—. ¿Sabes que me parece recordar la mirada de Ketty? Tiene ojos de enamorada.

—No deduzcas, mamá. Lo que supones es imposible.

—Tal vez, sí. Pero, ¿no crees muy significativa esa llegada tan intempestiva?

—¿Piensas decirle algo?

—¡Oh, no! ¿Me crees tonta? Lo que haré será vigilarla, eso desde luego.

Ya Ketty había desaparecido tras el portalón del palacio posterior, que conducía al segundo piso del edificio habitualmente desalojado.

Berta se dejó caer de nuevo en la cama, mientras su madre sentábase en un diván, frente a ella.

—Dime, mamá, ¿por qué Ketty no puede casarse hasta tanto no cumpla los veinticinco años...? ¿Fuiste tú la que indujo a su padre a señalar en el testamento esa cláusula?

Irma se encogió de hombros.

—Hubiera sido más conveniente que mi precioso tiempo lo empleara en acumular unos cuantos miles de dólares. Fui una tonta. Siempre creí a tu hermano más listo, y a causa de ello esperaba ser algún día la madre política de Ketty. Así todo hubiera estado muy bien. Además, cuando el padre de Ketty murió, los astilleros se hallaban hipotecados. ¿Comprendes? Esperaba que Renato se casara con Ketty, y entonces todo hubiera sido nuestro. No te vayas a creer que sólo es ambición, no; por el contrario, me gusta Ketty y la hubiera querido como a una hija.

—Me gusta lo que dices, mamá; yo también quiero a Ketty. Pero Renato nunca será su esposo.

—Lo sé. Se cansó pronto. Ya lo ves ahora: gastando en Londres el dinero, sin preocuparse en absoluto de lo que a los tres tanto nos interesa. No sé, hija; en aquellos tiempos debía tener el cerebro en los bolsillos, pues de otro modo hubiera inducido a Iwahinosky a redactar en otros términos el testamento.

—¿Tanto poder tenías sobre él, mamá?

—Me parece que ninguno, pero... para algo Dios me dio inteligencia. Ketty ejercía más poder que yo; pero, aun así, amparada en que ella estudiaba en Londres, logré lo que me propuse, aunque a medias nada más.

—¿No advertiste a Ketty de la enfermedad de su padre?

—¿Por qué lo preguntas, Berta?

—Un día discutí con Ketty, y me espetó alguna ironía; por ellas deduje...

—Ya. No, no la advertí, y, créeme, me pesa, pues no soy tan perversa como para no reconocer que hice muy mal.

—¿Y tu esposo? ¿No la llamaba?

—Era su único anhelo. Pero como sus habitaciones tan sólo las frecuentaba yo, pues...

—Le hiciste comprender que ella no deseaba verlo —terminó Berta, frunciendo la boca en un rictus amargo.

Tardó Irma en responder. Cuando lo hizo, su frente se surcó de profundas arrugas.

—Algo así. Ya te he dicho que estoy arrepentida. De todas formas, no puse demasiado empeño, ya que conseguí bien poco; ni siquiera la tutela oficial. Solamente si Ketty se casa antes de cumplir los veinticinco años, podré ejercer sobre los otros dos mi autoridad. Pero no te hagas ilusiones; lleva muy infiltrada en su cuerpo la sangre de su abuelo.

—Yo no me hago ilusiones, mamá. Me encantaría, en cambio, que Ketty se casara y fuera muy feliz.

—Eres demasiado buena. Seguramente no lo es ella tanto con respecto a ti.

—¡Ketty es buena, mamá! —saltó, impulsiva—. Es que nosotros no supimos ganarla.

—Posiblemente. Pero ahora ya es tarde para rectificar. Tu hermano es un imbécil. Se cansó pronto. Algún día, cuando se vea sin hogar y falto de recursos, comprenderá la idiotez cometida.

—¡Me asustas, mamá! ¿También nosotras vamos a vernos sin hogar?

—¡Quién sabe! Tan pronto Ketty se case, tenemos que dejar esta casa. Me queda una pensión que ella, sin remedio, habrá de proporcionarme, pero este lujo fastuoso desaparecerá.

—¡Oh, mamá!

—Si tanto te asusta la miseria, no malgastes tu tiempo en conquistar a ese pelado ingeniero; no tiene un penique, y es preciso que dejes de pensar en el presente, señalándote tú misma un porvenir más brillante. Pronto tendremos aquí a la colonia veraniega; en ella hallarás hombres ricos, con posición y de mundo. Así me casé yo con el padre de Ketty.

—Quiero a Joe, mamá.

La dama la miró duramente.

—¡Un ingeniero industrial! —desdeñó—. Has de ser muy feliz sin un cuarto.

—Me importa muy poco el dinero, si me hace su esposa. Tiene un buen sueldo y creo es más que suficiente.

Irma dio media vuelta, saliendo de la estancia. En el fondo le satisfacía el modo de pensar de su hija. Ella se había casado por ambición, y había de reconocer, si es que deseaba ser sincera consigo misma, la escasa felicidad paladeada en su segundo matrimonio.

En la tarde del mismo día, Ketty y sus dos hermanos jugaban al tenis. Muy próxima a ellos, Berta leía tendida en una cómoda hamaca amparada por una alta palmera de abundante follaje.

De vez en cuando miraba a los jugadores, y una sonrisa tenue distendía su boca. La pelota vino por el aire a caer sobre su falda. Alzó la cabeza cuando ya los jugadores se hallaban a su lado.

—Perdona, Berta—suplicó Ketty, dejándose caer en el césped.

—No tiene importancia —sonrió—. ¿Quién ha ganado? Alice corrió a su lado, encaramándose por la hamaca.

—Gané yo —chilló, alegremente—. Siempre soy la campeona.

—Deja a Berta en paz, Alice. ¿No ves que la molestas?

Berta cogió a la nena en sus brazos.

—No me molesta —dijo, dulcemente—, al contrario.

Alice se desprendió sin hacer el menor caso ni de una ni de otra. Estaba ya sentada a horcajadas en el respaldo de la hamaca. Levantó los brazos en alto, mientras gritaba:

—Roberto, ven.

Todos miraron hacia la puerta que comunicaba con los astilleros, en cuyo marco aparecía la figura arrogante del director.

—Bájate de ahí y sé más discreta—observó Ketty, enrojeciendo hasta la raíz del cabello.

Berta lo notó, aunque nada dijo. Vio también cómo Ketty se tendía boca abajo sobre la hierba, y, alcanzando el libro que ella había dejado, se enfrascaba en su lectura. ¿Por qué hacía aquello?, se preguntó Berta, extrañada. No tuvo tiempo de responderse, puesto que ya Foisle estaba allí, saludándoles con naturalidad.

Notó fácilmente que el ingeniero no posaba los ojos en la figura de Ketty, que, aunque vuelta de espaldas, no dejaba de estar allí. Sin embargo, quiso creer que ninguno de ambos se comportaba sencillamente, mas no tuvo tiempo de precisar, ya que Alice chilló, alegremente:

—¡Roberto, Roberto! Cógeme en tus brazos y tírame en alto como haces otras veces. Anda...

El ingeniero la abrazó fuertemente.

—Eres deliciosa —dijo, con dulzura.

—¿Tú lo crees? Ketty asegura que soy la niña más pesada de toda Inglaterra. Ahora mismo me reñía porque te llamé.

—Miss Iwahinosky miente en ese sentido. Eres la chiquilla más encantadora de todo el mundo. ¿Verdad, Adolfo?

Éste, que jugaba con el perro, levantó la cabeza, gruñendo algo entre dientes.

Ketty, para sus adentros, sonrió, divertida.

—¿Jugamos, Roberto? Berta nos acompañará. ¿Verdad que sí?

—Pero, Alice...

—No digas que no, Roberto, porque entonces no seré tu amiga.

—Vamos entonces. ¿Nos acompaña, miss Lover?

Se fueron los tres.

Ketty los contempló largamente. Sus ojos soñadores fueron a posarse en la espalda ancha y fuerte de aquel hombre que era toda su vida. Aquel día aún no lo había visto. Es decir, desde que se separara de él a las ocho de la mañana, solamente había oído su voz a través del teléfono. Le quedaba el recuerdo, sin embargo, la dulzura de saberlo más suyo que nunca... ¿No era eso suficiente? Entendió que sí.

Seguía entretenida los incidentes del juego. Notó cómo Roberto lanzaba lejos la pelota, tal vez con alguna intención, puesto que, en aquel momento, llegaba muy próximo a ella, cuyos brazos se alargaron, siéndole fácil alcanzarla. Se estremeció viendo cómo su marido corría a su lado al encuentro de la pelota.

—Te he visto jugar y es preciso que renuncies al deporte —susurró, mientras se inclinaba hacia ella para coger la pelota y oprimir disimuladamente las manos temblorosas que se le alargaban—. Recuerda tu estado, alma. ¿No comprendes?

—Berta te está mirando. Vete.

—Sonríeme primero como tú sabes hacerlo.

—¡Qué loquísimo eres! ¡Vete!

—¿Por qué no subes al despacho? Te seguiría dentro de un rato.

—No me seas... —sonrió, hechicera—. Ahora estoy bien aquí.

—¿Me esperarás esta noche?

Ante la mirada apasionada, ella bajó los ojos; pero, aun así, dijo, con infinita ternura:

—Te esperaré.

—¡Roberto! —se oyó, nerviosa, la voz de la nena.

—Vete, que Alice se impacienta.

—Me estaría toda la vida contemplándote.

—Pero como eso es imposible...

—Ahora, sí; más tarde...

—¡Me estás comprometiendo!

Se quedó sola otra vez. Ya no pudo seguir leyendo. Él la subyugaba, robándole todos sus pensamientos.

Se puso en pie, yendo hasta la hamaca, donde se tendió. Cerró los ojos y soñó, soñó con él, con el hijo de los dos, y soñó también recordando las horas maravillosas vividas a su lado.

Diez

Transcurrieron seis meses. Los muchachos habían sido internados en un colegio. Lo hicieron así porque era preciso, contando, no obstante, con traerlos a casa tan pronto ella se encontrara en condiciones de poder atenderlos.

Ketty sufría atrozmente. Un consuelo nada más le ayudaba a llevar aquella existencia ficticia, ya que, aun cuando era una sola, guardaba para ella un mundo absoluto. Gracias a eso continuaba soportando el terrible esfuerzo que suponía su estado. La proximidad de aquel hombre mitigaba un algo el dolor moral y material de la chiquilla. Fue él quien le habló una noche antes de haberse separado, con aquella dulzura única que la reducía y la fascinaba.

—Es preciso que determinemos algo, Ketty; así no puedes continuar.

—¿Y cómo?

—¿No dices que tienes una casa en la aldea? Vete a ella. Di a Irma que precisas reposo por una temporada. Yo atenderé todo esto como si fueras tú misma... ¿No te haces cargo?

—Sí, ya sé que tú lo atenderías, mejor que yo aún, pero... ¿Y esa mujer? ¿No te das cuenta de que levantaría suspicacias? Aun cuando ahora me ve muy poco, tiene, pese a ello, alguna sospecha. Me mira demasiado, me observa con tanta atención como un juez al reo, y... yo no puedo disimular. ¡Estoy aterrada...!

Él la consoló diciendo, por último:

—La salud es antes que nada. Además, es excesivo el esfuerzo que haces. ¿No lo comprendes? Veo el sufrimiento en tus ojos, tu sano color se está volviendo macilento... Tienes que salir de aquí. Si es preciso, te lo exigiré. ¿No han sido tus colonos unos padres para ti? Pues con mayor motivo se harán cargo de nuestra situación. ¿Quieres que vaya a verlos? Llevaría una carta tuya y yo les contaría lo que nos sucede. Tres o cuatro meses pasan pronto, y esos son, precisamente, los que tú necesitas para reponerte... Hazme caso, alma mía.

Ella permaneció callada durante unos segundos. Recostó luego la cabeza en el hombro varonil, y dijo, quedita, dulcemente:

—Lo haré por él, Roberto. Pero luego..., ¿crees que yo podré alejarme? Es imposible, Roberto. ¡Imposible!

—No te queda otro remedio, nena. —Acarició con ternura el rostro surcado por el llanto—. No te preocupes, sin embargo. Yo iré a verle todos los días, te hablaré de él, le enseñaré a quererte.

Ketty sollozó ahogadamente, estrechándose en los brazos queridos. ¡Qué angustia más desesperada suponía para ella el dejar en brazos ajenos al cachito de su vida!

—Cálmate. Piensa en que todo puede solucionarse. Tú irás a verlo los domingos u otro día cualquiera que yo quede en la oficina, pues los dos juntos será imposible...

—¿Lo ves? ¿Y no quieres que me muera de impotencia? ¿No te das cuenta lo que supone para mí no teneros a los dos a mi lado? Voy a sufrir mucho, Roberto; intensamente, lo sé. Cuando tú estés allí, pensaré en lo cruel de mi suerte. Cuando te tenga lejos y a él en mis brazos..., ¿qué crees que sentiré? ¿Para qué habré nacido, si soy tan infeliz?

—¡Ketty, me torturas! ¿Quién soy yo, entonces, para ti?

—Lo eres todo. —Lo miró entre lágrimas—. El padre de ese nene que con ansia espero, el hombre que endulzó mis horas amargas. Lo eres todo, Roberto, ¡todo!

La besó y abrazó con apasionada vehemencia. Luego, muy lentamente, fue apartándose de ella.

—Tengo que marchar, nena mía —dijo, bajito—. Ya es de madrugada. Has de escribir esa carta; mañana a primera hora vendré por ella, para ir en el auto a la aldea.

—¿Por qué hablas de irte, por qué? ¿Y quieres que no me rebele? ¿No eres mi marido? ¿No nos asisten todos los derechos? —sollozó, desesperadamente.

—Cálmate, dulzura. Sé comprensiva. —La besó, amantísimo—. Ya sabes que, por mí, hoy mismo se haría público nuestro matrimonio, aunque tú te quedaras sin un centavo, puesto que yo sabría trabajar para los dos. Pero... ¿Y tus hermanos?

—No continúes. Lo comprendo todo. Dame un beso y márchate. Trataré de conformarme con mi suerte; teniéndote cerca de mí, no me será difícil.

Todo continuaba igual; pero, sin embargo, ¡cómo había variado!

Ya la nieve cubría las calles, el frío se mostraba más doloroso que nunca. Un invierno crudo, desesperadamente helado, surgía aquel año con saña cruel.

Por primera vez, después de seis meses, Ketty pisaba de nuevo los astilleros, y ¡qué helado le pareció todo, qué frío, después de haber vivido horas dulcísimas junto al nene querido...!

Sus ojos ahora se posaban melancólicos en los amplios patios del astillero, y así, mirándolo todo y no viendo nada, recordaba las horas febriles, dichosas no obstante, vividas en la callada aldea.

Su llegada un domingo. Su angustia al quedarse sola, sin aquel hombre que lo era todo para ella. Su espera los domingos; las charlas íntimas; los momentos deliciosos pasados junto a él.

—Irma no sospecha nada. Ahora vive entretenida procurando cazar a un lord millonario para su hija —le decía Roberto burlonamente.

Más tarde, mucho más tarde llegó el bebé. Era un nene de ojos pardos, preciosos como los de su padre, ¡Con qué ansia lo apretó contra su pecho y con qué inefable alegría se lo mostró a él cuando, al día siguiente, llegó a verlo! ¡Qué días más maravillosos los que continuaron!

Todas las tardes, al anochecer, llegaba Roberto cargado de chucherías, y permanecía a su lado, hasta que, muy entrada la mañana, retornaba a Cardiff para volver después más contento y enamorado que nunca.

Dos meses transcurrieron así, hasta que ya fue imposible prolongar más su estancia en la aldea.

Era preciso volver a los astilleros. Irma recelaba. Se alzaban rumores nada tranquilizadores para ella. Y un día, dos meses después de haber nacido el nuevo Roberto, Ketty se vio precisada a dejar en manos de la aldeana a su cachito de vida.

¡Con qué ternura lo había abrazado, con qué ansiedad anhelosa había llenado de apretados besos la carita rosada! ¡Y qué pena más honda la atenazó el corazón al separarse de él, que era la ilusión más grande de su existencia!

—Cuidado, Am. Roberto vendrá todos los días. Yo te llamaré por teléfono todas las tardes. ¿Lo tendréis como si fuera tu hijo, Am? —había suplicado, anegados en llanto los bonitos ojos.

—Márchese tranquila, miss Ketty. Pensé siempre que es algo mío, como mis propios nietos.

—Sé que lo harás, Am. Te conozco, porque también has sido una madre para mis hermanitos.

Aun antes de subir al auto blanco, tuvo que apretar el trocito de carne entre sus brazos trémulos.

—¡Mi lindo y amadísimo muñeco!

—Vamos, Ketty, sé razonable —había aconsejado Roberto, quitándoselo de los brazos—. Parece que te despides para siempre, cuando en realidad es sólo por unos días.

—¿Y cuándo será ese día, Roberto?

—Ten calma. Pronto, ya verás.

Sabía que aquello no era cierto; pero, aun así, después de un último beso, subió al auto, acomodándose al lado de su marido, cuya emoción tampoco le engañaba.

Lloró mucho durante el trayecto. Los consuelos de él no mitigaron la angustiosa desesperación de la joven madre.

Todavía ahora, mirando los amplios patios, donde cientos de hombres trabajaban sin descanso, ignorantes de su desesperación, continuaba en silencio, llorando queda, amargamente.

Once

Sucedió de la forma más simple.

Irma vio de nuevo, en sucesivas mañanas regresar a Ketty en su auto blanco, como si recelase temer ser descubierta. Incluso una noche trató de seguirla, y lo logró. Vio cómo Ketty se adentraba en el portal oscuro de una casa adosada en un barrio muy alejado de la ciudad.

Aquella mujer guardaba en su cerebro un mundo de fantasías, y no le fue difícil hacer sus conjeturas, llegando bien pronto a la hipótesis amenazadora, cuyo pinchazo había de dar en el corazón bueno y sensible de la confiada chiquilla.

El verano había llegado, triunfante. Los veraneantes ocupaban sus hotelitos de recreo. Se organizaban fiestas, bailes... Se jugaba a todos los deportes, y el palacio Iwahinosky fue, desde entonces, centro de reunión de toda la colonia veraniega.

Hasta entonces Ketty logró, con pretexto de su mucho trabajo, evadirse de los grupos juveniles, donde Berta Lover campeaba como primera figura.

—¿Por qué consientes eso...? —preguntó aquella tarde Roberto—. No me explico por qué esos lechuguinos buscan el palacio para sus diversiones.

—¿Qué quieres que haga? Berta y su madre están encantadas. Mientras no me comprometan...

—Es que, aun cuando te comprometieran, no irías.

Rió ella, alzando los ojos del libro que consultaba.

—¿Ibas a encelarte? ¿Es que desconfías de mí?

Nunca debiera de preguntar aquello. Los ojos varoniles brillaron como en otra tarde, ya muy lejana, pero, sin embargo, presente ahora en el corazón de Ketty.

—¿Qué tienes, Roberto? ¿Por qué me miras así?

—Perdona —sonó impersonal la voz—. No me pasa nada. Pensaba, tal vez...

Por la mente de ella cruzó un recuerdo que hasta entonces siempre había pasado por alto, pero quizá, por ser la expresión de su marido muy similar a la de cierta tarde en que Alice le había llamado Rob, se le plasmó con precisión en el cerebro. Nunca le había preguntado nada respecto a ello, tal vez a causa del amor intenso que cegaba a ambos, dejando muy poco lugar para pensar ni prestar atención a algo más; pero aquella tarde Ketty quiso saber, e interrogó:

—Dime, Roberto: ¿qué es lo que el diminutivo de tu nombre representa en tu vida?

Como impulsado por un resorte, se volvió él.

—¿Por qué esa pregunta? ¿Qué importa eso ahora?

—Es que nunca te pregunté nada respecto a tu vida anterior, y la verdad es que me gustaría saber qué era aquello que tus pupilas expresaban cuando llegaste a los astilleros. Más de una vez me dijo Niel que algo, algo que escapaba a su intuición, sucedía en tu vida. Incluso señaló que, a pesar de no ser enlodado, pues te creía un hombre noble, sí lo suficiente, aunque fuera de otra índole, como para destrozar la tranquilidad de tu existencia. Yo quisiera que tú me explicaras. Soy tu esposa y...

—Es mejor que no quieras saber. Tiene razón Niel, pero no me preguntes, Ketty. Si insistes en saber, nuestra actual felicidad se vería tronchada como una florecilla por el viento.

—¿Mujeres, Roberto?

Lo vio palidecer intensamente. Vio también como la boca del trazo enérgico se apretaba duramente, mientras sus ojos parecían llamear.

—Recuerdo —continuó ella, bajito— que cierta mañaña dijiste: «Está jugando conmigo, para luego humillar mi dignidad de hombre como hizo la otra». ¿Quién es esa otra, Roberto?

Lo vio venir hacia ella, cogerla en sus brazos y, apretándola tembloroso, exclamar entrecortadamente:

—No me hagas recordar lo que deseo imperiosamente tener bien olvidado. ¡No quieras saber! Ahora somos felices; no quieras remover viejas cenizas, que tal vez sería en perjuicio de los dos.

Lo miró amorosamente; sus manos acariciaron tiernamente el rostro rasurado, pálido ahora como el de un muerto y, luego, rodeando con sus brazos el cuello fuerte, musitó, apasionadamente:

—Si tú lo deseas, nunca te preguntaré. Pero... nunca la has querido tanto como a mí, ¿verdad?

—Amor como éste jamás lo sentí, alma mía.

Más tarde se quedó sola y pensativa... ¿Qué era lo que Roberto ocultaba? ¿Cómo hasta entonces había olvidado tantos y tantos detalles, que ahora, con precisión latente, se le manifestaban impregnados de dudas?

Se sabía amada por Roberto con delirio, con ternura infinita, pero... no era menos cierto que una espinita pinchaba dentro de ella, preguntando: ¿Qué ocultaba su esposo? ¿Quién pudo ser aquella mujer que un día destrozara la vida de Roberto? ¿Quién sería?

Unos golpecitos dados en la puerta interrumpieron sus pensamientos.

—Adelante —dijo, procurando serenarse.

Irma Lover apareció en el umbral.

—¡Qué cerrada estás, hija, con el día tan espléndido que hace!

Aquellas palabras y la sonrisa que las acompañaba le parecieron tan falsas que tuvo deseos de correr, hurtándose a la mirada penetrante de aquella mujer, desconfiada hasta lo inaudito. No lo hizo así, sin embargo. No ignoraba que Irma era diplomáticamente mala, y quiso, aunque sólo fuera por una vez, ocultar también su mucho odio.

—El trabajo me acapara —dijo, sonriente—. De todas formas, el sol se me ofrece por este ventanal. Siéntate.

—Verás —observó, tomando asiento frente a ella—: hemos organizado un baile en los jardines para esta noche, y la verdad es que me parece que tú debieras de hacer los honores, o ayudarme al menos.

—¡Oh, Irma! Te doy amplios poderes, pero no me pidas ese sacrificio. Bien sabes que detesto las frivolidades. Claro que —sonrió, dulcemente— las respeto, y hasta me parece bien que Berta y sus amigos procuren divertirse; pero te ruego me disculpes.

—Como desees.

Un ratito después, quedaba sola de nuevo.

Era sábado. Y sin pensar demasiado en lo que hacía, bajó apresuradamente las amplias escaleras, hasta verse en el auto camino de la aldea.

No había advertido a Roberto, porque ignoraba, cuando lo vio, que había de ser acometida del tremendo deseo.

Deseaba verse un momento a solas con el nene; besarlo muy fuerte; apretarlo contra su pecho, con tanta ansia, que temió, por ser demasiado intenso su anhelo, que aquello fuera imposible.

Habían pasado ya dos años desde que lo trajera al mundo. ¡Qué cortos se le antojaban ahora y qué deseos tuvo de que volvieran a comenzar! ¡Había sido tan feliz...!

El auto no se detuvo hasta no haber llegado al jardín de la villa. Se apeó, corriendo luego al encuentro del nene, cuyos bracitos parecían volar a su lado.

—¡Mamaíta mía! —musitó, con su lengua torpe, cuando se halló muy apretado en los brazos femeninos.

—¡Mi nene guapo!

¡Cómo le adoraba! ¡De qué forma más intensa lo quería!

—¿Y papá? ¿Por qué no lo has *taído*?

—Vendrá mañana, mi vida.

—*¿Vendéis lo do?*

—Sí, mi cielo.

¡Qué guapo era! Igual, igual que él. Tenía los mismos ojos pardos, un algo melancólicos, dulces, tiernísimos hasta en su expresión. También tenía de ella la tez mate, la naricilla un poquito respingona.

—¡Mi adorado muñeco...! —susurró apasionadamente alzándolo en sus brazos—. ¿Cuándo ha venido papaíto?

—*Ayel*. Me *tajo* un *ten* y muchos besos tuyos. ¿Sabes, mamaíta? Me gustaron más los besos que el *ten*.

—¿Sí, cariño?

—Como me los mandabas, tú, *pes*...

Se sentó en un banco con él en sus brazos. No sabía hacer otra cosa más que besarlo. ¡Hacía tanto tiempo que no podía hacerlo...!

—¿Cuándo me *yevas* a *vesta* casa?

Se ensombreció el rostro bello.

—Muy pronto, cielo mío.

—Papá me dijo que me iba a *yevá mu ponto*.

—Tiene razón papá.

—¡Qué gusto, mamita! Luego ya te *podé besal* cuando lo *quera*, *¿verdá?*

Una lágrima se deslizó callada por el rostro terso.

—Tienes la *calita* mojada, mami.

—Estoy sudando, seguramente —disculpose, muy bajo.

—No. El *oto* día, a *papín tambén* se le mojó y la nieta de Am dijo que *elan láguimas*. ¿Qué son *láguimas*? ¿Tú no lo *sabe*?

—¡Oh! —ahogó el sollozo—. ¿Por qué no te callas, cielo? —suplicó, apretándolo contra su pecho, para que él no viera la congoja que la embargaba—. No hagas caso de lo que dice la nieta de Am, ¿quieres...?

El nene murmuró, bajándose de los brazos maternos:

—*Beno*. ¿Me dejas ir a *jugá*? Luego *vendé* a *taerte ipero*, ¿sí?

Sonrió dulcemente, yendo tras él.

—Oh, miss Iwahinosky; ¿usted por aquí? —exclamó la aldeana saliendo por un recodo del jardín—. ¿Cómo no la he visto llegar?

—Hola, Am. He venido sólo por una hora. Ya voy a marchar.

—¿Y el señor?

—Se quedó allá. Él vendrá mañana.

—Hace tantos días que no le veo por aquí... ¿Cómo encuentra a Rob?

—Hecho ya un hombrecito —musitó, posando los dulces ojos en el nene, que, ya lejos de ella, jugaba con los nietos de Am.

—Parece mentira que ya hayan pasado dos años, ¿verdad?

—Sí, Am. ¡Qué corto y qué largo al mismo tiempo! Bueno —sacudió la cabeza morena—, me voy. Otro día volveré con más calma. Hoy no puedo retardar la marcha. —Posó la fina mano en el hombro de la aldeana, añadiendo, muy bajo, anegados en llanto los bonitos ojos—: Cuida, Am, a ese cachito de carne; es... toda mi vida. —Hizo un esfuerzo continuando—: Me voy sin verlo de nuevo, porque, si lo hiciera de otra forma, no me dejaría marchar, y es preciso que lo haga. Bésalo muy fuerte, Am; como si fuera yo misma.

Con esfuerzo se arrancó del jardín, y, ya camino de la ciudad, clavando los ojos en la blanca carretera, dejó que las lágrimas surcaran silenciosas el rostro pálido.

¡Qué cruel era la vida! ¿Por qué había ella de verse separada de aquel trocito de corazón, si lógicamente era suyo ante Dios y los hombres? ¿Cuánto duraría aquello? Tres años aún, tres años que se le estaban haciendo largos, interminables.

Aquella misma noche, eran las once cuando Irma interrumpió sus meditaciones.

Aún no había visto a Roberto, quien ignoraba que ella estuviera a ver al nene. Lo había llamado por teléfono, pero ya no estaba en las oficinas. Tampoco aquella noche podía ir a su piso. A través del ventanal veíanse los jardines engalanados, cuajados de luz, y temía verse sorprendida por Irma, sus hijos e incluso por los invitados. Estaba dispuesta a esperar al día siguiente, aunque tenía una leve esperanza de que Roberto, visto que ella no iba, se acercase por el pasadizo oculto. Por eso tembló cuando en la puerta del despacho se perfiló la bella figura de la madrastra.

—Vengo a buscarte, Ketty.

—¿No te he dicho que no iba?

—Escucha: no sé por qué, me extraña, además, porque te conozco; se habla de ti.

—¡Irma!

—Ciertos rumores corren por nuestra sociedad, y lo peor de todo es que tú los alimentas con esa actitud. Es preciso, si quieres poner a salvo tu reputación, que hagas frente a los murmuradores. ¿Comprendes? Es indispensable que esta noche me acompañes para hacer los honores y te muestres simpática con nuestros invitados.

Angustiada, cerró los ojos. Ella no podía hacer aquello. ¡Era imposible! ¿Qué diría su marido? Si él estaba al llegar, si él... ¡Dios suyo, qué apuros más inmensos, qué dolor más terrible!

—¡Oh, Irma! —suplicó, húmedos los ojos—. Ayúdame...

—Continúa. ¿Qué clase de ayuda quieres?

No podría soportar la humillación. Era preciso hacer un esfuerzo. Su rostro adquirió una expresión serena; sonrió la boca. Es cierto que dentro de su cuerpo todo sangraba; pero... antes que nada estaba su dignidad de mujer; el futuro de sus hermanos. Roberto comprendería, ella le haría comprender.

—¿Qué se dice de mí, Irma?

La réplica salió aguda, cortante, fría y amenazadora:

—Que tienes un amante.

Ni una mueca por parte de Ketty; su boca tan sólo quiso sonreír con desprecio.

—Si me esperas, me vestiré ahora mismo y acudiré contigo a la fiesta. No lo hago porque la gente rectifique su vil infamia. Lo hago por complacerte a ti —sonrió a medias—. Nunca supuso que se pudiera ser tan hipócrita. Claro que en aquel momento tenía que serlo; de otra forma, el porvenir de sus hermanos correría tanto peligro como ella lo estaba corriendo en aquel momento.

Con disimulo oprimió el botón que cerraba con llave el pasadizo secreto. Luego se vistió apresuradamente, y un momento después sonreía entre sus numerosos invitados. Nadie diría, al verla, que dentro de aquel cuerpo bello se desencadenaba la más dura batalla sentimental.

Entretanto, alguien llamaba a la puerta del pasadizo secreto, y, al no hallar respuesta y sentir la música en el jardín, retrocedió hasta fundir su figura en un grupo de arbustos.

Bailaba Ketty con lord Jannes, cuando unos ojos, en la oscuridad del rincón donde se ocultaban, chispearon cruelmente.

En aquella noche, Roberto Foisle recordó con precisión latente la infidelidad de su primera mujer.

A causa de ello un volcán de apasionados recuerdos iluminó sus pupilas, llevando a su corazón un odio infinito hacia la chiquilla que con tanta indiferencia bailaba con un hombre, de él desconocido, mientras su marido golpeaba inútilmente en la puerta que ella había cerrado precisamente con intención ignorada para él.

Doce

Eran las cinco de la madrugada cuando Ketty, despojándose del atuendo de baile, embutiendo su cuerpo en el camisón tenue, se arrebujaba en el blando lecho.

Ya todo había terminado. Esperaba que, después de aquella demostración de muchacha frívola, Irma no insistiese de nuevo. Había bailado, reído, fumado y bebido como una de tantas amigas de Berta. ¿Qué importaba el sufrimiento íntimo? Era preciso, ante todo, matar toda sospecha, haciéndoles creer de nuevo en su honra de muchacha intachable.

Sin ganas, sonrió débilmente al recordar la declaración inflamable del joven lord Jannes. ¡Qué vacío le pareció, qué insustancial! Cierto que para ella todos eran vacíos e insustanciales excepto Roberto Foisle. Apretó la boca al recordar este nombre. ¿Qué había sido de él aquella noche? De darse gusto a sí misma, hubiera corrido a su lado, pero aquello era imposible. Aún oía en el jardín las risas de Renato y sus amigas, cuyas voces llegaban hasta ella con precisión dura, tremendamente molesta.

Tardó bastante en dormirse. Y cuando, a la mañana siguiente, llamó al teléfono de la oficina, alguien le dijo que el señor director había salido de viaje.

—¿Adónde? —tembló al hacer la pregunta.

—No lo sé, miss Iwahinosky.

Desfallecida, dejose caer otra vez en la cama. ¿Como era posible que Roberto se hubiera ido sin advertirle?

No tuvo tiempo de continuar pensando. Irma y Berta la llamaban desde la terraza, no quedándole otro remedio que acudir. Llegó al jardín justamente cuando por el centro de la avenida aparecía el auto de lord Jannes y sus amigas.

Sin saber cómo, se vio envuelta entre las risas y charlas de ellas. Y cuando quiso reaccionar, se vio en un auto al lado de lord Jannes y varias amigas, camino de..., ¿dónde? Lo ignoraba. Veía que, próximos a ellos, otros tres autos corrían con velocidad suicida, todos en la misma dirección que el de lord Jannes.

Ella, quieta y estática, parecía una momia. Oía, sin embargo, la voz de una de las chicas, por cuyos gritos comprendía adónde iban.

—¿Traéis buena merienda? ¿Y la flauta? Veremos cómo te portas, John. Tú serás quien haga de orquesta.

—Encantado, cariño.

Lord Walti se inclinó hacia ella, murmurando persuasivo:

—Te veo seria, Ketty. ¿Es que no vienes a gusto? Te advierto que el plan que tenemos es formidable.

—Quisiera mejor volver a casa.

—No nos defraudes, chiquita. ¿Qué ibas hacer en casa hoy, domingo, y con el sol espléndido que hace?

—Trabajar.

—Trabajar —desdeñó él—. Si dejaras esas ocupaciones en manos de tus ingenieros... Aunque de vez en cuando estudiaras la marcha de vuestros negocios; pero, ¿consagrarte así a una obligación que lo es solamente porque tú lo quieres? Lo encuentro impropio, amiga mía.

El auto continuaba corriendo. En el asiento posterior, las tres muchachas hablaban a gritos con los ocupantes de los autos próximos.

Lord Walti al volante y ella sola sentada a su lado, no le fue difícil responder sin ser oída por los demás.

—Me tiene sin cuidado lo que a ti te parezca, Jannes; es mi deber y ante nada retrocederé.

—Si yo te admiro, Ketty; te admiro con toda mi alma —se inclinó más hacia ella y arguyó, susurrando—: ¿Pensaste en lo que te dije ayer, Ketty? ¿No vas a probar a corresponderme?

En aquel momento una ráfaga de aire cegó los ojos de Ketty. El auto de Roberto Foisle, con él al volante y su hijo al lado, cruzó cual un relámpago, pero no lo suficientemente rápido para que ante sus miradas se encontraran, al tiempo que un grito infantil se oyó en los callados ámbitos, perdiéndose apagado con el trepidar de los motores.

—¡¡Mamita!!

Fue tan brusco el frenazo, que todos se vieron impulsados hacia delante. Ketty, más dueña de sí que nunca, ahogando el grito angustioso de su corazón, miró a Jannes, dejando que a sus ojos se asomara una cólera infinita.

—¿Por qué has frenado? —preguntó serenamente.

—¿No habéis oído?

—¿Y qué? ¿Qué nos importa a nosotros? —Siete pares de ojos cayeron inquisidores sobre ella.

—Es tu director con un niño. ¿Es que ese hombre está casado?

—Nunca se lo pregunté, Jannes. Es algo que no me interesa en absoluto. Y, por favor, arranca de nuevo.

Alguien dijo desde atrás:

—Me choca enormemente. El nene extendió los brazos hacia aquí mientras llamaba a mamita. No me lo explico. ¿Quién de vosotras puede ser su mami?

Los otros autos estaban detenidos a su lado. En dos palabras, una de las muchachas puso al corriente de lo que sucedía. Berta Lover miró fijamente el rostro impasible de Ketty, cuya palidez se mostraba cual un cadáver, y dijo lentamente, alto, para que todos lo oyeran:

—Sois unos estúpidos. El señor Foisle puede muy bien tener cientos de hijos sin que nosotros lo sepamos, puesto que jamás se nos ocurrió preguntárselo. En cuanto al nene, pudo hallar parecido con su madre en uno de nuestros rostros. ¿En marcha? ¡Mira que detenerse por una tontería semejante! —desdeñó.

Un segundo más tarde, los autos corrían de nuevo por la asfaltada carretera, mientras Ketty, muy apretadas las manos una contra otra, se preguntaba por qué Berta, por primera vez, salía en su defensa. ¿Es que había adivinado? Y si era así, ¿qué se proponía?

Dejó de pensar en aquello. Algo más doloroso surgía dentro de su ser. ¿Qué pensaría Roberto? ¿Qué disculpa dar cuando se hallara a su lado? Ya no era una falta, eran dos las cometidas, que, aun cuando obrara inconscientemente, y empujada por las circunstancias, a él poco había de importarle ya que, cegado por los celos —lo había leído en sus ojos en aquel momento fugaz— tal vez la culpara de frívola y mundana.

—¿En qué piensas, Ketty?

Hizo un esfuerzo y sonrió a medias.

—No lo sé.

—¿En mí, tal vez?

—Confieso que lo ignoro.

—¿En el niño de sir Foisle?

—Te pones pesado, Jannes.

—Es que te quiero y anhelo que todos sus pensamientos sean míos.

—¡Pobre ilusión!

—¿Es que no vas a pensar en lo que te propuse ayer, Ketty?

—Ya lo tengo pensado —dijo con leve acento irónico.

—¿Y...?

—No puedo acceder a tus ruegos, puesto que no te amo.

—Ya aprenderás.

—El caso es que no quiero aprender.

—¡¡Hemos llegado!! —gritaron los muchachos.

Se detuvo el auto. Antes de haberse apeado, dijo Jannes con petulancia:

—Yo soy un gran maestro, Ketty; quién sabe si al fin te enseño.

—Soy tan dura para aprender...

—Sin embargo...

¡Oh, qué estúpidos todos! ¡Qué deseos de subir al auto y correr hacia el otro lugar, donde estaba su deber!

Sin responderle, se apartó de su lado. Y aprovechando la algarabía, fue alejándose hasta apoyar su frente pálida en el tronco de un escondido árbol.

Berta, que seguía todos sus movimientos, fue hacia ella.

—¿Por qué no te marchas, Ketty? Yo sé que lo estás deseando.

—¿Por qué iba a estar deseándolo?

—Tal vez me haya engañado, pero quise creer que aquel niño te llamaba a ti.

—¿Estás loca, Berta?

Las manos de miss Lover se posaron en los hombros de Ketty. Buscó sus ojos, al tiempo de murmurar dulcemente:

—No lo niegues ni temas. Me hago cargo de tu situación y al mismo tiempo te ofrezco mi ayuda. Hace mucho tiempo, Ketty, que observé anomalía en tu vida. Sé también que no puedes casarte antes de haber cumplido los veinticinco años y... —hizo una pausa, que empleó en limpiar la lágrima que rebelde se arrancaba de sus ojos, añadiendo—: Aprendí a quererte porque eres muy buena e infeliz. No me digas nada. Sigue negando, si lo deseas, pero aun así, no te olvides que en mí tienes una hermana para todo. Por favor, haz un esfuerzo y cambia la expresión de tus ojos. Ésos se nos acercan.

Se sentaron a comer. Lo que entretanto pasaba por el corazón de Ketty nunca se supo, pero, aun así, Berta creyó por un momento que se iba a desmayar, aunque, sin embargo, no fue así.

Trece

Eran las siete de la tarde cuando los autos se detuvieron frente al palacio.

Ketty saltó al jardín y, aprovechando la algarabía de los demás, desapareció enfilando el segundo piso.

Febrilmente llamó al teléfono de los astilleros. Él no estaba allí.

—No lo he visto desde ayer, miss Iwahinosky —contestó la voz del guardián.

Temblorosa, marcó otro número. Tampoco del piso contestaba nadie.

Dejose caer en una butaca y, ocultando el rostro entre las manos, lloró desesperadamente.

Le parecía imposible que él se fiara de las apariencias; creyó inexplicable su actitud. ¿Es que ignoraba de la forma que ella le quería? ¿Cómo era tan ciego para no comprender lo que ahora ella sentía? Era preciso hacer algo, ya que, de continuar en aquella incertidumbre, llegaría a morirse de impaciencia, a volverse loca de dolor. ¿Y el nene? ¿Adónde lo llevaba? Anheló como nunca refugiar la amargura en el corazón infantil. Precisamente besarlo con ahínco, con delirio; con toda la ternura que el padre le negaba.

Ni siquiera se cambió de traje. Era conveniente no perder un minuto, ya que la noche se esfumaba ante el día con rapidez pasmosa. Fue en dirección a la puerta, justamente cuando ésta se abría dando paso a una Berta febril, terriblemente ansiosa.

—¿Adónde vas? —exclamó Ketty, cruzándole el paso y taladrándola con la mirada empañada—. ¿A qué vienes? ¿Os parece aún poco el daño que me habéis hecho y todavía quieres ensañarte más en mi dolor? ¿Es que no te das cuenta de cómo le quiero? Vete, Berta. Habéis logrado lo que deseabais y ahora ya muy poco os queda por hacer. ¡Ese niño es mi hijo! —gritó ahogadamente, apoyando la espalda temblorosa contra la puerta, que cerró bruscamente—. Has acertado. Ya estarás contenta porque lo sabes todo. Tu madre puede destruir la fortuna de mis hermanos, como destruyó la de mi padre. Estoy casada, casada con un hombre al que adoro y ya jamás por nada ni por nadie renunciaré a él. Todo deja de tener interés para mí. La fortuna, el porvenir de mis hermanos... ¿Qué me importa todo si lo pierdo a él? Me habéis hecho asistir a ese baile, hoy me han llevado en esos coches infernales; todo, todo lo lograsteis. Pero se acabó, Berta Lover. Dile, vete, corre, pon a tu madre en antecedentes de lo que sucede. ¿No me oyes? —gritó enloquecida sacudiendo a Berta por los hombros—. Dile que estoy casada y puedes añadir que jamás renunciaré a mi hijo ni a mi esposo.

No pudo continuar. Un sollozo angustioso ahogó su voz en la garganta. Hizo un esfuerzo muy grande y fue tambaleándose hasta dejarse caer en el sillón giratorio. Apoyó los brazos en la mesa y, ocultando la cabeza en ellos, quedose quieta, como si ya todo careciera de interés para ella.

Los ojos de Berta adquirieron una expresión dulcísima.

—Te engañas, Ketty, si crees que voy a decirle nada a mi madre —dijo, posando la mano en la cabeza morena—. Me hago cargo de tu situación, Ketty querida, y también puedes contar conmigo para todo. Yo, como tú, estoy enamorada; por eso con mayor motivo comprendo tu dolor. No te abatas de esa forma, Ketty; piensa que el cobarde jamás triunfa. Es preciso que te fortalezcas a ti misma, afrontando los hechos con valentía y naturalidad. ¿Crees que Roberto no se hará cargo de esto? Sí, Ketty; verás como esto se arregla. Anda, dime en qué puedo ayudarte.

La voz de Ketty se oyó ahogada en llanto:

—Nunca creí que fueras así, Berta.

—Tal vez ni yo misma lo sabía. He tenido que verte sufrir para comprender lo que vivía dentro de mí. Estaba aletargada, Ketty; al verte a ti sufrir, he despertado.

Ketty se puso en pie con trabajo.

—Déjame que te dé un abrazo, Berta. Esto que haces hoy no lo olvidaré nunca.

Mezclaron sus lágrimas. Berta sintió como si dentro de ella penetrara una ráfaga de ternura hacia la chiquilla triste, cuya infelicidad le impresionaba.

—Deseo ver a mi hijo, Berta; pero es preciso que tú me ayudes —pidió Ketty entre lágrimas.

—Vete tranquila. Te juro que nadie, nadie sabrá adónde vas. Es preciso, sin embargo, que te apresures para volver pronto.

—Tengo mi auto en el garaje de los astilleros. Me voy por la puerta de servicio. Gracias otra vez, Berta. Hoy has sido mi ángel bueno; que Dios te lo pague.

Cuando un momento después Berta se reunía con su madre, le preguntó ésta:

—¿Y Ketty?

—En sus habitaciones.

—¿Qué le sucedía cuando llegó?

—No sé a qué te refieres.

—Su rostro estaba desencajado y los ojos... parecían dos saetas. La creí enferma. Vengo notando en esa criatura cosas muy raras. Hasta... no quiero pensar lo peor, hija mía.

Berta se sentó a su lado. Miró fijamente a su madre al interrogar con extrema ternura:

—Dime, mamá: ¿qué harías tú con aquella persona que malograra mi felicidad?

—¡Berta!

—Dímelo, mamá.

—No sé, hija, creo que la mataría. Dios me lo perdone, pero... ¡qué sé yo! ¡Es tan inmenso el cariño de una hija!

—¿No te da pena de quien desconoce el de una madre?

—¿Por qué me haces esas preguntas, Berta?

La chiquilla aspiró hondo.

—Creo, mamá, que hemos sido muy malas con Ketty. Nunca nos hemos detenido a pensar que ella, por estar sola y huérfana, es más digna de cariño que ningún otro, que yo misma, incluso. Te casaste con su padre por ambición, pero nunca te detuviste a pensar lo necesitados que se encontraban de tu cariño los hijos de tu marido.

—¡Berta!

—Perdona, mamá, que te hable un poco crudamente. Es que me da pena de esas tres criaturas. Tienen millones, es cierto, pero, en cambio, carecen de lo necesario: un poco de cariño. ¿Pensarás en lo que te he dicho, madre? ¿Recordarás que Ketty necesita tu ayuda para ser feliz?

—No te entiendo, Berta.

—Lo siento, mamá. Pero yo, desde ahora, te digo que Ketty es dueña de mi cariño. Siento profundamente habérselo negado cuando, hace cinco años, ella lo buscaba. Es buena, buena y muy desgraciada.

—¿Te crees acaso que si se hubiera casado con Renato, yo no la querría?

—Entonces sería por ambición, y es preciso que la queramos por ella sola, olvidando que posee algunos millones, y que éstos, más tarde, se nos negarán. Le faltan tres años para poder casarse, ¿te das cuenta? Entonces tu tranquilidad habrá desaparecido; el lujo de que hoy disfrutas se volverá humo, pues yo, como anteriormente te he dicho, amo a un ingeniero, sin más fortuna que su sueldo. ¿Comprendes, mamá?

—La verdad es que me confundes con tus argumentos. Puedo jurar que en estos momentos ignoro de la forma que quiero a Ketty. Lo que sí te puedo asegurar es que Alice y Adolfo me inspiran un cariño como si fueran mis hijos.

—Me alegro, mamá. Yo bien sabía que tú eras buena, por eso espero que aprendas a querer a Ketty como a mí misma.

La llegada de los gemelos interrumpió la charla.

—¿Dónde está Ketty? —preguntó Alice, yendo a estrecharse en los brazos de Berta.

—Vendrá en seguida, mi cielo. ¿Quieres que juguemos mientras?

—Sí, sí —palmoteo la chiquilla.

—¿Vienes, Adolfo?

—Bueno —se encogió de hombros.

—¿Qué te pasa, chiquillo? —preguntó Irma, poniéndose en pie y yendo hasta él—. Te veo muy pensativo.

—Es por Ketty. Quería pedirle dinero para adquirir un balón y en toda la tarde no pude encontrarla.

—Por eso no te preocupes —saltó Berta, volviendo la cabeza—. Ven, que yo te lo daré. Si os parece, en vez de jugar al ping-pong, cogeremos el auto y vamos a comprar ese anhelado balón.

—¿Lo harás, Berta?

—Claro que sí, muchacho.

Sonreía al hablar con tanta dulzura, que Irma tuvo, sin remedio, que confesarse que aquella expresión tierna favorecía infinitamente a su hija.

Se había tendido en la cama de cualquier manera. Su sufrimiento era infinito.

—Ten un poco de calma, Ketty —aconsejó Berta, sentándose en el borde del lecho.

—¿Que tenga calma? ¡Qué poco sabes lo que es querer a un hijo! Él ya no me importa, puesto que su actitud es merecedora de que le odie. Pero, ¿el niño? ¡Me volveré loca! ¡Oh, Berta, qué cruel es la vida conmigo! ¿Adónde ha llevado el niño? Am me dijo que se había ido por la mañana y no había vuelto. Nunca lo hubiera creído de él; jamás supuse que Roberto guardara en su corazón tan bajos sentimientos.

—Estás engañada seguramente, Ketty. No por llevarse al niño puede él guardar bajos sentimientos como dices. El despecho tal vez...

—¡Qué disculpa más pobre! Por despecho no se priva a una madre de las caricias de su hijo.

—Cuanto más se ama, más ciego se es, Ketty. ¡Quién sabe lo que Roberto pudo pensar!

Ketty dio media vuelta en el lecho.

—Es mejor que me dejes y te vayas a descansar.

—Quiero estar a tu lado.

—Te lo suplico, Berta; vete y díselo todo a tu madre. Yo ya no puedo fingir más. Es más conveniente que se lo digas.

—¿Crees que, porque lo haga así, mamá se va a hacer cargo de los astilleros?

—¡Qué más da!

—Qué más da, no. Ella también te quiere, Ketty. Ya lo sabe todo; se lo he dicho antes de venir a reunirme contigo. Ella fue quien me pidió te pidiera perdón en su nombre por el daño que, sin quererlo, te ha causado. Puedes traerlos aquí..., es tu esposo; tienes derecho sobre esto..., nosotros nos marcharemos.

—¡Eso sí que no! —se incorporó anhelante—. Tú vas a casarte con un ingeniero de mi empresa y quiero que vivas en este palacio, ya que es suficiente grande para todos. A tu madre... dile que la perdono, que no se vaya. Hoy, tal vez más que nunca, la necesito a mi lado, sobre todo por mis hermanos. —Hizo una pausa y añadió—: Lo que sí te ruego es que ahora me dejes sola.

Berta se inclinó para besarla; luego salió, cerrando silenciosamente la puerta tras de sí.

Ella quedose estática. Tenía los ojos puestos en un punto inexistente; estaban preñados de lágrimas, cuyas perlas deslizábanse lentamente por las satinadas mejillas hasta evaporarse en el ardor de su rostro.

No supo cuánto tiempo había pasado cuando vio cómo la puerta secreta parecía oscilar, y bien pronto, antes de que pudiera reaccionar, Roberto Foisle, los ojos brillantes y los puños crispados, se plantaba desafiador ante ella.

—¿Cómo no había escarmentado? —dijeron los labios casi sin abrirse—. ¿Cómo tardé tanto para comprender que todas erais iguales?

Muy despacio, se incorporó ella. La expresión melancólica de sus ojos no conmovió al hombre, que, tal vez por encontrarla más bella que nunca, rugió fiero, brutal:

—Nunca más volverás a seducirme. Ella también aseguraba quererme, pero ello no fue motivo para que una noche la hallara en brazos de otro. También tú lo estabas ayer. Hoy corrías en un auto, oyendo las frases amorosas que desgranaban en tu oído. ¡Ah! ¡Qué pronto te has cansado de quererme! ¡Si no me has querido nunca! Ni ella tampoco, ni nadie. ¡Nadie me quiere!

—¡Roberto! ¡Sé comprensivo!

—¡Calla! ¡No quiero oírte! Vine porque deseo que sepas que mañana me voy a España. ¿Te das cuenta? Me llevo a mi hijo. Ya no es tuyo, es mío, solamente mío.

—¡Oh, no! —fue un grito angustioso—. Roberto, escucha; déjame que te explique...

—¡No quiero saber nada! Tengo más que sobrado con lo que he visto.

—¿Me comparas a mí con esa mujer que no sé quién es? ¡Qué poco me has amado, Roberto; ya que de otra forma no prendería tan fácilmente la duda en tu cerebro!

—¿Que no te quise? Si aún te quiero. Si ahora mismo me estás enloqueciendo. Si...

La chiquilla retrocedió asustada. Tuvo miedo, un miedo terrible de su violencia. Además, la expresión de aquel hombre había dejado de ser la de *su* Roberto. Ahora tan solo mostraba una pasión brutal que la intimidaba.

Apoyó la espalda en la puerta. Él la miraba apasionadamente, mientras sus pasos iban muy despacito avanzando hacia ella. ¡Qué bonita la veía! ¡Como nunca, como jamás ni en sueños lo había creído! Embutía el tembloroso cuerpo en el pijama blanco, holgado, sutil. El cabello sedoso y rutilante, despidiendo azulados fulgores, acariciaba dulcemente los hombros mórbidos, y en los ojos, de un verde transparente, salpicados de gotitas, mostraba una expresión de bella dolorosa.

—¡Qué bonita eres a pesar de todo! —susurró, ya a su lado—. No podré renunciar a ti, aunque lo quiera. ¡No podré!

—Sí podrás, porque yo no te quiero así. Me repugnas, Roberto. Sé bueno —suplicó, viendo que los brazos fuertes la cercaban enloquecido.

—Tendrás que quererme, aunque sea a la fuerza, Ketty. Eres mi esposa.

Ella no pudo más. Estaba agotada por todos los sufrimientos pasados. Sintió cómo los labios varoniles ardían en su garganta. Luego buscaron su boca, a la que oprimió con pasión y locura.

No supo lo que hacía, porque él la torturaba. Rodeó el fuerte cuello con sus brazos y aún pudo articular, desfallecida:

—Es verdad que te quiero. ¡Tengo que quererte!

Catorce

A la mañana siguiente fue ella al despacho. Una serenidad absoluta invadía todo su ser. Tan solo la boca parecía temblar imperceptiblemente y su tez mostraba una palidez vidriosa.

Roberto la miró ceñudo. Verla a su lado le recordaba su violencia de la noche pasada, y ello le daba rabia de sí mismo.

—Vengo a saber si es cierto que te vas a España —dijo Ketty con helada voz—. Puedes irte, si lo deseas, pero mi hijo se quedará aquí.

—¿Es que lo exiges? ¿Y con qué derecho?

—Todos me apoyan. Irma sabe que estamos casados. Ya le importa muy poco; aunque tarde, ha comprendido lo mala que había sido conmigo y ahora tan sólo anhela verme feliz. Sé que no lo puedo ser. Tú has matado todo el amor que me inspirabas. Lo siento, Roberto; antes era dichosa porque aún no conocía tu verdadero fondo moral; ahora que lo sé, me siento defraudada. Dame a mi hijo; después..., haz lo que quieras; me es indiferente lo que puedas hacer.

Por los ojos del ingeniero pareció cruzar un relámpago destructor. Se alzó del asiento. Su mirada llameaba y la boca, pálida por el esfuerzo tremendo que estaba realizando por contenerse, silabeó bajito:

—A pesar de todo, eres mi esposa y te quiero. Luché tenazmente estos días, Ketty, y todo fue inútil. Hice lo imposible por aborrecerte... ¡No pude!

Ella no se inmutó. Estaba demasiado dolorida para sentir en el corazón la desesperación de su marido.

—Un cariño muy particular el tuyo —rió con desprecio—. Ese amor no lo quiero, Roberto. Nunca más vuelvas a mí para dármelo, porque te despreciaré. Has sido tan indigno, que aún tiemblo al recordar que eres el padre de mi hijo. ¡Si supieras cuánto y de qué forma has desmerecido en mi concepto!

Saltó fuera de la mesa. Se estremecía de ira.

—No me arrepiento, ¿oyes?, no me arrepiento —dijo fuera de sí—. Me habías trastornado. ¡Oh! ¡Los celos! Ellos me cegaron. ¿No sabes que por celos maté a mi primera mujer?

—¡¡Roberto!! —gritó desesperadamente.

—La maté —rió—, pero la maté al encontrarla con otro. Dicen que mi bala no salió de la pistola. Yo no lo sé. Recuerdo tan sólo que ella cayó a mis pies para no levantarse jamás, mientras el canalla (aún ignoro quién era) traspasaba de un salto el umbral de la puerta. No puedo entrar en detalles porque no lo recuerdo. ¡Fue todo tan rápido, tan desesperado! Lo único que puedo asegurarte, Ketty, es que todo ello destrozó mi vida. —Se irguió ante ella, pálido y estremecido. —Por eso tuve miedo, miedo de que tú fueras a serme infiel como la otra. Ante esa idea, lo demás carecía de interés para mí. Creo que estuve loco. Tu amor supone para mí todo en la vida. Si te perdiera... ¡Dios! ¿Es que no voy a dejar nunca de sufrir?

Vete, Ketty, vete; no me tortures más con tu presencia. El niño lo tendrás ahora mismo; yo mismo te lo traeré. Luego... no temas; comprendo, aunque tarde, mi crueldad. Me iré lejos de vosotros. Buscaré el consuelo en la soledad de mi vida; tal vez no la halle, pero si vosotros sois felices, ¿qué importa la tortura de mi existencia?

Retrocedió unos pasos, yendo a hundirse en el sillón ocultando el rostro entre las manos y siguió ahogadamente:

—Aquel capítulo de mi vida, casi olvidado con tu cariño, surgió con precisión latente cuando te vi bailando en brazos de otro. Mi primer desengaño, ya amortiguado, renació de un modo brusco en mi corazón y ya todo me cegó. Ésa es mi disculpa. Ya sé que no me comprendes, quizá ni lo desees, después de haber dejado de quererme.

Se puso en pie de nuevo. Parecía loco.

—¡No te rías, Ketty! ¿No se te antoja grotesco mi dolor? ¿Verdad que soy tonto? ¡Ríete, mujer, ríete, grita de alegría!

No reía, pero en cambio hubiera llorado de angustia. ¡Qué pena le dio la desesperación de él! En un momento comprendió muchas, muchas cosas y se llamó tonta por haberlas dejado pasar por alto, cuando en más de una ocasión pudo hallar el porqué de la reconcentración de aquel hombre, que en un principio se le mostraba extraño, luego celoso, desconfiado, torturante... Lo disculpó íntimamente. Dentro de ella vivía palpitando de cariño la figura de él. Estaba bien segura, además, de que nunca dejaría de amarlo. Pero... ahora ya no era el daño causado por Roberto lo que la preocupaba; era otra cosa con dolor lacerante, gritaba dentro de su ser, lastimando su alma.

Miró a Roberto al murmurar con apagada voz:

—Tú no la mataste. ¡No puedes ser un asesino!

El español se encogió de hombros.

—Lo ignoro, Ketty. Sé solamente que el tribunal me absolvió.

—Entonces eres inocente.

—Eso dice mi amigo Daniel; era mi abogado. Sin embargo, estoy bien seguro que disparé la pistola.

—Deseo que me expliques cómo fue eso. Te has casado conmigo sin advertirme de que antes habías pertenecido a otra mujer. Nunca se me ocurrió que pudieras ser viudo...

—Y asesino de mi mujer...

—Eso no es posible, Roberto, y tú lo sabes. Es que deseas torturarme.

Rió él sarcástico.

—¿Qué importa si ya no me quieres?

—Pero eres el padre de mi hijo.

—¿Sólo eso represento para ti, Ketty?

La muchacha se encogió de hombros.

—No lo sé, Roberto. Ahora tan sólo te ruego me digas algo respecto a tu pasado.

El ingeniero frunció el ceño y hundió las manos en los bolsillos del pantalón, comenzando luego a pasearse lentamente por la amplia oficina.

—Me es doloroso rememorar aquella época. Fui hijo único de una familia opulenta. Mis padres murieron jóvenes, dejándome al amparo de una tía-abuela soberbia y agria, llena de prejuicios sociales. Cuando terminé la carrera hice un largo viaje... durante él la conocí a ella; era hermosa, me seducía con su belleza felina... ¿Qué importa la forma en que me casé ni cómo la quise? ¡Bah!, eso no tiene la menor importancia. En seguida de hacerla mi esposa comprendí lo vacía y poco escrupulosa que era, pero ya era tarde.

Cesó en sus paseos. Plantose ante Ketty, que le oía atentamente con la vista posada en el infinito, y, observándola vagamente, añadió quedo:

—Estaba sediento de cariño y, ahogando mi tristeza, consagré a ella mi vida, aún creyéndola buena. Así pasaron dos años; hoy comprendo que en ellos no fui feliz; no podía serlo, dado su carácter despótico exento de esa dulzura que yo precisaba para ser dichoso. Una noche, Daniel Hurtado, mi mejor amigo, me dijo algo que me trastornó... Cegado por la desesperación, lo abofeteé...

Hundió las manos en los bolsillos de la americana y posando los ojos en el pavimento, añadió más bajo aún:

—Sabía que ella no era leal, pero nunca cruzó por mi mente la funesta idea de una infidelidad. Daniel me nombró testigos, me dio pruebas tan contundentes de la veracidad de sus palabras, que aquella noche fingí un corto viaje, que no efectué, pues tan pronto mi reloj marcó la hora que Daniel me había advertido, penetraba en mi piso yendo directamente al saloncito de Laura...

Alzó la cabeza posando sus ojos en el rostro pálido de la muchacha.

—No recuerdo lo que sucedió después, Ketty; sé tan sólo que saqué la pistola del bolsillo, al tiempo que un grito rompía el silencio de la noche, mientras el cuerpo de mi mujer caía sin vida a mis pies. Luego, todo fue muy confuso; el hombre desapareció de mi vista sin apenas notarlo... Yo estaba convencido de haberla matado. Dan y el médico forense aseguraron que dentro de su cuerpo no se hallaba rastro de mi bala.

Pasó la mano por la frente, agregando:

—Me pusieron bajo la custodia de Dan. Días después se celebró el juicio. Me han absuelto; sin embargo, yo estoy bien seguro de que disparé la pistola...

Siguió un silencio que rompió Ketty, para decir con imperceptible voz:

—Pero si no la alcanzaste...

Se volvió fiero.

—La intención era la misma —rugió—. ¿Crees que estoy arrepentido? ¡Oh, no! Hoy mismo hubiera hecho otro tanto. Las mujeres habéis destrozado mi vida.

Una tranquilidad pasmosa invadía a Ketty. Creía en la inocencia de él y hasta se hacía cargo de su actitud actual. No dejó de comprender tampoco que lo más acertado era salir de allí, puesto que el estado de su marido no se hallaba en condiciones de escuchar con tranquilidad lo que ella tenía que decirle.

—Pese a todo yo te creo inocente, Roberto. El pasado no me importa, ya que lo considero muerto. Piensa detenidamente en nuestra situación, y cuando estés más calmado ve a buscar a nuestro hijo y llévalo a mi despacho.

Sin esperar la respuesta de él, dio media vuelta traspasando el umbral del despacho.

¿Es que no estaba ya todo meditado?, se preguntó él cuando de nuevo se vio solo.

Allí tan sólo un camino veía, el más recto, el mejor a su entender: entregarle al nene; marcharse lejos; padecer otra vez solo y triste, olvidándose de que en una ciudad inglesa dejaba un trozo de vida... ¿Un trozo? ¡Cruel mentira, la dejaba toda, absolutamente toda y ya nunca podría recuperarla!

Ella lo despreciaba. ¿No era acaso digno de desprecio? Entendía que sí, ya que su anterior comportamiento había sido lo mismo, igual que el de un desalmado.

No podía, sin embargo, hacerse a la idea de separarse del nene. Ya no decía de ella, pues bien comprendía los motivos poderosos que Ketty tenía para aborrecerlo. ¿Pero, de Rob? ¿De aquel cachito de corazón, cuya ternura embalsamaba su espíritu? Le sería imposible. Soportaría las más duras humillaciones, dejaría que pisotearan su dignidad de hombre, consentiría —lo más duro para él— verse despreciado por la Humanidad entera; vejado en el concepto de su mujer; todo antes que alejarse de la dulce criatura, lo único ya que le quedaba del amor de ella, de aquel amor que tan grande y sublime había sido, convertido ahora en un guiñapo despreciable porque él, con sus dudas, lo había matado. Qué frágil le pareció, no obstante, ya que, de ser de otra forma, grande, vigoroso fuerte e inmutable como era el suyo, nunca hallaría quien pudiera matarlo. ¡Además, con qué facilidad había muerto en el corazón de Ketty, qué blando, qué sutil se le antojó el amor de su esposa! ¿Cómo era posible que aquella criatura lo olvidara tan pronto? Él había sido bajo tal vez, pero..., ¿no estaba allí la pasión que podía disculparlo...? ¿No era el amor más grande que nada? ¿No eran, acaso, marido y mujer?

Se paseó, furioso, midiendo la oficina a grandes zancadas. Colocó luego el flexible sobre su cabeza, saliendo seguidamente fuera de la estancia.

También ella se paseaba agitada por su despacho. Estaba nerviosa, desasosegada. Temía que Roberto la hubiera engañado respecto a su hijo. Además... aquello otro contribuía a desesperarla más todavía. No se encontraba con fuerzas para perdonar la humillación sufrida. Sabía que lo adoraba; pero aquellas dudas surgidas de la nada, el salvajismo inexplicable; la huida con el niño..., todo ello ponía un sabor tan amargo en su boca que, impotente, dejaba que el acíbar llegara con potencia destructora a su corazón pisoteado... Incluso llegó a creer que ya no le amaba. Es que la ira lo cegaba todo en su ser, impidiéndole razonar con precisión ni imparcialidad.

Deseaba hallar una disculpa y la verdad era que no la encontraba. ¿Que él había sufrido un desengaño con su primera mujer? Aquello no era motivo para obrar en la forma como lo había hecho.

El recuerdo puso nubes en sus ojos preciosos. No creía, sin embargo, que él la matara. Estaba obsesionado, pero en manera alguna podía ser Roberto un asesino. Deseaba olvidar todo aquello. Era preciso ahuyentarlo si quería ser un poco feliz. El hijito lograría entretener sus horas. Estaba segura de que con él a su lado conseguiría olvidar todo lo sucedido con su marido, e incluso prescindiría de Roberto con naturalidad, como si él tuviera que ver muy poco en su vida. Pensó también en el divorcio, pero lo desechó; le importaba muy poco ser libre de nuevo, puesto que no contaba encadenarse otra vez. Para muestra, una sola vez es suficiente; estaba más que escarmentada.

Le pareció que el despacho la ahogaba y, deseosa de respirar con amplitud, alejando de su mente el problema de su vida, se alzó del sillón, yendo directamente al jardín.

Una sonrisa dulcísima distendió su boca al detener su mirada melancólica en las figuras de sus dos hermanitos.

¡Qué felices eran! Ellos, con su inocencia, desconocían sus muchos dolores y consolaban en mucho sus sufrimientos, pues entendía que, al padecer ella por ellos, algún día, si no éstos, Dios se lo habría de pagar.

Además, le importaba muy poco el premio que pudiera haber obtenido por sus actuales desvelos. Recordó a su madre moribunda cuando, con ojos apagados, cubiertos ya con el paño de la muerte, que parecía aproximarse, arrebatándole la poca vida que le quedaba, le pidiera suplicante que jamás, por ningún concepto, los abandonara. Había atendido su ruego y aún hoy sufría por no desatenderlo.

Sus horas habían estado siempre impregnadas de amarguras, tan sólo los años pasados en compañía de aquel hombre tan amado habían endulzado los días, pero, aun así, siempre estremecida por los temores de verse descubierta. Ahora que todo quedaba aclarado, algo que torturaba su alma, surgía para que el sufrimiento no cesara.

Caminaba lentamente por la grava, posaba los ojos inexpresivos, a causa de la desesperación, en un punto infinito, como si tras de aquella mole negruzca estuviera próximo a aparecer su consuelo absoluto. No era así, sin embargo; ella no ignoraba que su vida era ahora una simple flor tronchada por el viento.

Un consuelo tan sólo parecía poner campanitas de plata en su corazón; el nene, aquel cachito de carne rosada, toda su vida, la única alegría de su existencia. Le había dado forma en su ser, y ahora en la realidad del mundo moldearía su alma infantil, tierna y dulce.

Ella lograría hacer de él un hombre sano, fuerte y noble. Su juventud, toda su existencia la consagraría a él y no cejaría hasta no haber logrado su anhelo.

Pensó en el padre. Se dijo que aun cuando lo deseara fervientemente, nunca podría olvidar la afrenta que él le infiriera. Se estremeció de ira al recordar su violencia, se avergonzó rememorando lo sucedido, y creyose impotente para borrar el recuerdo cruel de su corazón ulcerado.

¿Cómo era posible que él, que tantas pruebas de nobleza había dado siempre, se portara la noche anterior de aquella manera indigna? Y ella se había plegado a sus caprichos, ella había sucumbido ante su pasión, tal vez con la inconsciencia de la mujer enamorada.

Fue al verse sola de nuevo cuando comprendió la bajeza de él; fue después cuando dejó que dentro de su alma germinara el desprecio, y ahora que aquel sentimiento había tomado en su ser proporciones inimaginadas, ya nunca podría destrozar el germen, puesto que como un inmundo microbio, se había incrustado en su corazón con tanta saña y crueldad como el bacilo de Cock en un pulmón herido; ése no cejaba hasta destruir; en su corazón tampoco cejaría el sentimiento de desprecio y el odio, hasta matar el amor.

Quince

Habían transcurrido el día y la noche. De nuevo lució la alborada y otra vez la tarde mostraba su manto melancólico.

Durante todas aquellas horas interminables, Ketty había alcanzado, muchas veces, el auricular para de nuevo dejarlo en su sitio. Recordaba haberle dicho: «Medita y, cuando estés más calmado, dame el niño». Aún no había llegado. Tal vez no se calmara aún, pero, ¿tenía ella derecho a privarle del nene? ¡Oh, no!

Esta vez alcanzó el aparato blanco y, sin vacilación, marcó el número.

—Por favor, diga a sir Foisle que se ponga al aparato.

—Sir Foisle no ha venido desde ayer a las oficinas. Acaba de llamar desde su piso advirtiéndonos que no vendría hasta mañana.

—Gracias.

Colgó y muy lentamente fue a tenderse en el diván del saloncito contiguo.

Aquello que le estaba sucediendo era torturante. ¿Obraba Roberto premeditadamente? Se dijo que era imposible; no lo creía tan desalmado. Razonó con lógica y la conclusión fue la siguiente: Si ella, por ser madre, ansiaba imperiosamente tener al nene a su lado, a él, por ser padre, le costaría heroicos esfuerzos separarse de su hijito querido. A pesar de la lógica que a sí misma se dio, no halló la tranquilidad que deseaba.

Nerviosa se alzó del asiento para apoyar la frente en el vidrio del ventanal.

Vio a Berta pasearse por el jardín en compañía de su novio. Ellos sí eran felices. No poseían sus millones, pero, en cambio, eran dueños de un amor hermanado, de una tranquilidad absoluta. Oscar Airways era el prototipo del hombre fuerte y musculoso, guardador de un corazón grande y hermoso, todo de Berta Lover. Él había sabido con su cariño blandir la fibra sensible de aquella jovencita, buena y leal.

¿Qué importaba que Berta tardara en encontrarse a sí misma si al fin había logrado hallar la gotita balsámica en su corazón y matar con saña la partícula emponzoñada? Ahora, redimida por el cariño de ella y el amor de Oscar, poseía un algo espiritual en su rostro que atraía y subyugaba. ¡Qué dulzura más grande, más infinita, penetraba por Berta! Sabía que ya nunca más tendrían lugar en su hogar las aborrecibles desavenencias ni las irónicas sutilezas por parte de Irma y Renato.

Ahora todos la consolaban, tratando de hacerla olvidar, con sus cariñosas atenciones, los sufrimientos pasados por su causa. Sabía a sus hermanitos atendidos y amados por Irma y Berta y ello consolaba su corazón, puesto que nunca más tendría que preocuparse de que alguien los despreciara.

Aún no había visto a Irma desde *aquello*. Fue Berta la que le pidió el perdón en nombre de su madre, pero ella ansiaba tener una charla con la que fue la esposa de su padre.

Lo consiguió aquella misma tarde cuando se disponía a llamar por teléfono al piso de Roberto.

Vio cómo la puerta del despacho abríase lentamente y la figura de Irma se perfilaba en seguida en el umbral.

—¿Te molesto, Ketty?

La muchacha se levantó al momento.

—Tú nunca molestas, Irma. Pasa y siéntate.

—Me pregunto, Ketty, por qué he sido tan ciega hasta ahora que no supe lo bonito que era querer y ser querida. Yo nunca traté de encariñarme contigo y, sin embargo, ¡cuán bonito hubiera sido habernos compenetrado desde un principio!

—Ahora es tiempo aún, Irma. Nunca es tarde, dicen, si la dicha es buena.

—Pero tú jamás olvidarás el daño que te hice. Primero os robé el cariño de tu padre; luego traté de hacerte infeliz con esa cláusula que tu padre señaló en el testamento, inducido por mí. Y ahora, Ketty, eres inmensamente desgraciada por mi causa, siempre por mi causa. Soy vuestro ángel malo y, para que seáis felices, me alejaré del palacio. Quizá así lleve conmigo el recuerdo. No deseo oscurecer tus días, Ketty, ni los de tus dos hermanitos.

Ketty fue hacia ella estrechándola en sus brazos.

—No, Irma. Hoy más que nunca te necesito a mi lado. Ya todo lo olvidé. Entre tú y yo mataremos el pasado, logrando que el presente sea feliz en lo que cabe. Tú no has tenido la culpa de lo que pasó. Es mi sino, el Destino tal vez que ya me tenía señalada. Posiblemente ignoras toda mi amargura, pues de otra forma no hubieras querido dejarme cuando más preciso del amparo y consejo de una madre.

—¡Ketty!

—¡Oh, Irma! ¡Cuán negro lo veo todo! Yo que tan feliz me creía hace unos meses, hoy me siento deprimida, sabedora de que ya jamás volveré a paladear la dulzura infinita que tanto anhelo. Tendré al nene, sí, pero en cambio me falta la compañía consoladora del hombre. ¡Y aun así quieres dejarme!

Dejóse caer en una butaca y ocultó el rostro entre las manos.

—No llores, Ketty, piensa en que Dios es infinitamente grande y Él nunca olvida a las criaturas buenas que sufren como tú estás sufriendo. No me iré de tu lado. Ocuparé en esta casa el puesto que desde un principio he debido ocupar. Malgasté mis días en vergonzoso rencor sin justificación y desde ahora trataré de redimirme por mediación de mis desvelos y cariño. Seré para vosotros una madre, pero tú tienes que prometerme hacer lo posible por hallar la felicidad al lado de tu marido. Piensa en que él tiene sobre ti todos los derechos, en que tú lo quieres y él te adora. Puedes hallar la disculpa de su proceder en la pasión que le inspiraste y en lo mucho que te quiere. Entre marido y mujer todo es perdonable, Ketty. Yo te lo digo, que fui una mujer casada y quise a mi vez.

—A mi padre, no, Irma.

—Ya sé que merezco el reproche. No, a tu padre no lo amé con ese sentimiento único que nace muy profundo en nuestro corazón. Lo respeté siempre, Ketty, eso sí es cierto, aunque no lo creas. Quise a mi primer marido con locura y juré ante su cadáver no amar jamás como le amé a él.

—Te comprendo perfectamente —dijo Ketty, alzando el rostro surcado por las lágrimas—. Me hago cargo de todo. Pero... Lo mío es diferente, Irma. Dices que puedo hallar la disculpa en la pasión... ¡Qué pobre me parece!

Aunque entre marido y mujer todo esté terminado, él no me respetó como debía. ¿Te das cuenta? ¡Su crueldad jamás, jamás podré olvidarla!

—Entonces, Ketty, nunca serás feliz. Berta me contó tu desesperación, el dolor de él ya arrepentido. Todo lo supo por tu boca y yo te suplico, Ketty, que, antes de tomar una determinación, la pienses detenidamente. Las mujeres tenemos que ceder muchas veces en nuestros derechos. ¡Cuántas humillaciones nos hacen pasar y, sin embargo, domeñamos el orgullo, la dignidad propia, todo lo damos porque otro remedio no se puede hallar! La vida es así, Ketty, a nosotras nos han formado de una costilla del hombre, según dicen, y por eso debe estar irremisiblemente nuestra debilidad física y moral sometida siempre a la voluntad más fuerte, que es la de ellos.

—Tus teorías no me convencen, Irma. Ni me considero sometida a Roberto ni cederé un ápice en mi dignidad de mujer. La voluntad del hombre puede ser invulnerable, pero mi voluntad de mujer ofendida jamás menguará su poderío. Me considero humillada por él y nunca, nunca le perdonaré.

Se puso en pie y, acercándose a Irma, añadió posando las manos en sus hombros:

—No temas, Irma. Procuraré hacerme a la idea de que soy viuda y tal vez sea feliz adorando a mi hijito. Otra cosa quiero pedirte: no te marches. Cuando Berta se case con Oscar ocupará el tercer piso del palacio y tú serás la madre de los dos hogares.

—¡Oh, Ketty! ¡Qué buena eres! ¡Dios te lo pague!

La chiquilla esbozó una sonrisa, volviendo el rostro para hurtar la expresión de amargura que destilaban sus pupilas.

Dieciseis

Aún tuvo Ketty que dormir aquella noche con la incertidumbre de ignorar por qué Roberto no le traía a su hijito. No lo llamó por teléfono. Sabía que, de hacerlo, hubiera soltado alguna palabra agria, y ante todo deseaba dejarlo solo por su cuenta, esperando paciente —aunque se consumiera de desesperación— la reacción de Roberto.

Fue a la mañana siguiente, después de haber sido abiertos los astilleros, cuando en el umbral de la puerta secreta se perfiló la figura del ingeniero, cuya mano apretaba su hijito.

Ketty se sobresaltó. Aún estaba sin vestir. Su cuerpo armonioso lo cubría la bata vaporosa y el cabello suelto, como a él le gustaba, caía brillante y sedoso, cubriendo parte de la sonrosada mejilla. Lo miró nerviosa a través del espejo diciendo con sequedad:

—¿Por qué has entrado por ahí?

—Es la última vez —replicó con voz inexpresiva—. Te traigo al niño.

Se volvió en redondo y sus ojos cayeron ávidos en el hijito adorado cuyos bracitos se alargaron temblorosos mientras la boca murmuraba, con su lengüecita torpe:

—¡Mami mía!

—¡Hijito querido! —musitó ella en un contenido sollozo, apretándolo muy fuerte contra su pecho—. ¡Qué ansias he tenido, qué anhelo más grande de tenerte así, siempre cerquita de mi corazón!

Los bracitos tiernos rodearon el cuello materno.

—Papito dijo que ya nunca *má* me separaría de ti. ¡Qué gusto! ¿Eh mami?

Con una manita acariciaba el rostro húmedo terriblemente emocionado.

—¿Te *temba* la boca, mamita? *Tamén* a *papi* le *tembaba* cuando me besaba *ayel* y *tamén yoraba* como tú ahora.

Los ojos de Ketty fueron a clavarse en el rostro impasible del esposo, cuya espalda le volvió lentamente.

—¿A dónde vas? —preguntó enderezándose y yendo hasta él con el niño en brazos.

—Me voy. Ya tienes al niño. ¿Qué más quieres?

Le pareció ronca la voz, tan apagada al mismo tiempo. Tuvo pena de él y se tuvo pena de sí misma. No pudo, sin embargo hacerse a la idea de perdonarle. Se imaginó lo que sería si entre ambos no hubiera sucedido nada anormal. Antes de que aquella idea pudiera tomar forma en su mente, la destruyó con un esfuerzo muy grande, pero la destruyó, ya que, al no poder ver realizados sus anhelos en la realidad, no quería soñar con un imposible, ya que ella jamás se hallaría con fuerzas suficientes para olvidar el daño moral que él causóle con su proceder innoble. Observó el rostro varonil desencajado y triste. Los ojos, que ávidos se clavaban en el nene, parecían apagados, y toda aquella antigua reconcentración desaparecía borrada por la expresión melancólicamente amarga. Vio cómo se aproximaba muy lentamente e, inclinándose hacia la carita resplandeciente del nene, musitaba bajito, con temblores de emoción en la voz:

—Adiós, mi vida.

El chiquillo saltó de los brazos de la madre, colgándose lloroso del cuello fuerte de Roberto.

—¡No, papá! ¡No te vayas! ¿Verdad mamita, que se queda con nosotros? Dile que se quede, mami. ¡Díselo!

Los ojos de Ketty, anegados en llanto, buscaron la mirada de su marido, pero no pudo hallarla, ya que ocultaba el rostro en el cabello rubio del querubín. Aún así, dijo emocionada:

—Ven, Rob. Papá no se irá; te lo aseguro. —Cogió al niño de los brazos del padre, cuya espalda volvió de nuevo a ofrecérsele y añadió, mientras consolaba al chiquillo—. Espera Roberto; tenemos que hablar. Llevaré al nene con Berta y mis hermanos.

Tomó a su hijo con la mano.

—¿Es mi cielo? —susurró besando apasionada el rostro del pequeño, cuyos ojos parecían interrogar—. Berta es tu tía y Alice y Adolfo van a ser dos hermanitos tuyos que te querrán mucho y te darán muchos juguetes. Papá y yo vamos a hablar y luego te buscaremos en el jardín, ¿quieres? —sin esperar la respuesta, agregó, volviéndose al silencioso ingeniero—: Siéntate, Roberto, en seguida vuelvo.

El hombre obedeció silencioso mientras veía como Ketty desaparecía con el niño.

Apoyó los codos en las rodillas e inclinó la cabeza, sobre las palmas.

Estaba desesperado. Y lo más doloroso era que se hallaba impotente para soportar tan dura prueba. Ketty podría haber dejado de amarlo, pero no podría, en forma alguna, separarlo del hijito querido. ¿No era de los dos? ¿No tenían ambos derechos sobre él? ¿Por qué y a qué fin había él de verse privado de la proximidad del niño si era el único consuelo que anhelaba?

También necesitaba el amor de ella para seguir viviendo. Durante aquellos días había comprendido la intensidad del cariño que le inspiraba. Aun así no quería medianías; o todo o nada, y si nada quería darle con ese nada se conformara, pero del niño jamás nadie lograría privarle; era su hijo, lo único que le quedaba de aquel amor tan grande, tan sublime y venerado.

Venerado lo había sido hasta que él lo destruyó aquella noche con su brutalidad. Ketty lo había dicho: «Te desprecio». No la censuraba; tenía poderosos motivos para odiarlo, pero cuando se ama verdaderamente, siempre se halla disculpa. Es que Ketty nunca lo había querido; de otra forma, pronto hubiera olvidado la afrenta según ella lo calificaba. Mas él bien sabía que no fuera afrenta, habían sido los celos que le cegaron; el temor de perderla, su mismo pasado quizá, que surgía latente y cruel al ver a Ketty en compañía de otro... Comprendió en seguida que ella no era de la raza de Laura, pero ya era tarde.

Jamás había logrado penetrar en el alma de su primera mujer y, en cambio, la de Ketty se le mostró blanca y pura desde el principio. Él no había sabido aquilatarlo hasta que ella lo despreció indiferente. Fue entonces cuando con precisión comprendió todo su bajo proceder...

Sintió sobre sus hombros la mano alada y trémula, alzó la cabeza mirando a Ketty, que, pálida, lo contemplaba largamente.

—Lo he dejado con Berta y mis hermanos. Todos están encantados con él; es un sol.

—Del que se me privará a mí —exclamó quedamente, con voz que parecía cansada.

—Estás engañado. Nuestro matrimonio es del dominio público. Incluso los periódicos hablan hoy de él. Es preciso que no te alejes de Cardiff, Robert. Por el niño en particular.

—No contaba hacerlo. Lo intenté, ¿sabes? —rió a medias, en una mueca—, pero no pude. Ese nene es toda mi vida...

—Espero que vengas a vivir aquí, puesto que éste es tu sitio.

—¡Imposible! —le miró duramente—. ¿Crees que podría mereciendo tu desprecio?

—¡Eso no es cierto!

Él, que se paseaba agitado, detúvose en seco para manifestar, brusco:

—¡Bah! No me amas. ¿Quieres más desprecio?

—Si te amo no lo sé, Roberto. He sufrido terriblemente en muy pocos días y ahora tengo que encontrarme a mí misma; entretanto es de todo punto indispensable que hagamos ver a todos nuestra felicidad.

—¡Nunca fui comediante! Desde ahora te digo que no viviré en esta casa si no es como... como debe ser. En mi piso me encontrarás cuando quieras. Al niño mándamelo alguna vez a la oficina.

—Espera, Roberto.

—¿Es que tú lo deseas? ¿Quieres torturarme más?

Ella tuvo deseos de decir: «Más me estás torturando tú a mí», pero se contuvo, sin embargo.

—Por el niño siquiera. Recuerda que nos espera.

Él se aproximó tanto a ella, que Ketty se vio muy pequeñita retratada en las pupilas pardas, brillantes de cólera.

—El niño es la mitad de mi vida. La otra mitad eres tú. Pero aun así, Ketty, consiento morir como un muñeco en la soledad de mi piso, que soportar aquí tu indiferencia. Además, sé que no podría contenerme porque te quiero demasiado. Sólo allí y sin más compañía que mis recuerdos, lograré un poco de sosiego. Aquí te hubiera tratado y algún día, cuando menos lo esperase, lo hubiese atropellado todo. Soy un hombre, ¿sabes? Soy de carne y músculos, no tengo nada de trapo, ni creo tampoco en los absurdos amores platónicos. Te quiero porque me gustas y también porque en tu belleza hallé un alma grande y hermosa. Allí en el piso domeñaré el deseo cuando se apodere de mí. Al niño —sonrió sin ganas—, tú te encargarás de convencerlo. Pronto ni se acordará de que existo.

Fue hacia la puerta, dejando a Ketty medio paralizada. Antes de que él hubiera traspasado el umbral, reaccionó, exclamando:

—Sé que no harás nada de lo que dices e insisto en que te quedes.

—¡No!

—¿No puedes hacer un esfuerzo?

—No quiero hacerlo. Cuando desees algo de mí, ya sabes bien dónde hallarme.

Diecisiete

—Nosotras hemos sido culpables de la infelicidad de Ketty y nosotras hemos de ser quienes de nuevo la ayudemos a recuperarla. Sólo su actual melancolía es la que enturbia la felicidad de esta casa y es preciso que ésa desaparezca. Hace dos meses que vive como una autómata. El hijo no es suficiente para darle la felicidad; yo ya lo sabía, y hasta se lo advertí cuando sucedió aquello. Ketty amó mucho, infinitamente, y ahora le es imposible olvidar. Esos amores nacen muy hondos, muy arraigados, para destruirlos porque ella así lo desea. No, no, Ketty sufre atrozmente, lo sé. Roberto no es de los hombres que suplican más de una vez, y ya le ha suplicado.

Los ojos de Irma fueron del rostro de Berta a clavarse en los tres chiquillos que jugaban en el jardín.

—Míralos —dijo, en voz baja—. Parecen tres muñecos. Rob es delicioso. Ayer vi como al pasar el auto del padre corría loco de alegría hacia él. ¡Y si vieras, Berta, de qué forma lo estrechaba Roberto en sus brazos! Me dio pena. Ha envejecido notablemente. En sus sienes ya blanquean unos hilillos de plata y sus ojos carecen de aquella expresión de vivacidad. Son desgraciados los dos por no romper esa barrera de orgullo. Desde aquella entrevista no se han vuelto a ver y temo que si siguen así dejen pasar los mejores años de la vida, y tal vez, cuando quieran aprisionar la felicidad, les falten a ambos las fuerzas para vivirla.

Berta exclamó, dolorida:

—Tenemos que hacer algo, mamá.

—¿Y qué es lo que vamos a hacer, hija mía?

—Si Niel no hubiera muerto le escribiría a él para que viniera. Pero esa muerte tan repentina destruyó todos mis planes.

—No me explico cómo ese viejecito murió tan de pronto.

—Ya cuando se fue iba muy agotado. Su hermana asegura que murió como un santo; sin una queja, sin un dolor, todo fue de repente.

—Pobrecito. Siento mucha pena por él, mamá. ¡Era tan bueno!

Siguió un silencio que interrumpió Irma.

—Mira, allí viene Ketty. Ya lo ves; como siempre, parece que camina ausente de cuanto la rodea. Me inspira una lástima hondísima verla así. ¡Si yo pudiera hacer algo!

—¿Y qué vas a hacer, mamá? No podrás más que quererla mucho y consolarla con tu dulzura.

—Mi cariño lo tienen todos, hijita, pero eso no basta. Es preciso ver el modo de unirlos de nuevo y para siempre. ¡Si los dos lo están deseando!

Allá, no muy lejos de la terraza donde ellos charlaban, Ketty alzaba al nene en sus brazos.

—¿No *queles jugá* con *nosotro*, mamita mía?

—Sí, mi vida; jugaré con vosotros —sonrió dulcemente.

Irma y Berta se aproximaron.

—Hola, amigas mías —saludó Ketty—. Este tirano me pide que juegue con ellos y no sabe aún que tiene que ir a ver a papá a la oficina.

El nene saltó al césped.

—Sí, sí, *quelo il vel* a papá. ¿Me llevas tú, mamita?

—No, mi cielo, tengo mucho que hacer.

—¿Quieres que lo lleve yo, Ketty? —interrumpió Irma. Ketty la miró fijamente.

—¿Por qué, Irma? Puede ir con Alice y Adolfo. Ellos lo llevan siempre.

—No tendría nada de particular que yo lo llevase hoy.

—¿Por qué no lo permites, Ketty? —preguntó Berta—. Mamá vive encantada con los nenes; pueden ir los cuatro.

—Pues que vayan. Pronto, que luego será hora de salir.

Besó al nene de nuevo, mirándolos marchar, correteando los tres de la mano, delante de Irma.

—Temo que a tu madre la lleve una idea determinada —dijo bajito, caminando en dirección al palacio.

—Y si fuera así, ¿qué? Vivís una vida absurda, Ketty, y todo por un estúpido alarde de orgullo, que si lo hubierais metido en un bolsillo o en el cajón de tu mesa seguramente os estorbaría menos.

Ketty replicó, áspera:

—Sé que soy orgullosa, pero él también lo es, ¿sabes?, y no quiero en forma alguna que nadie se inmiscuya en mis asuntos. Confío en que tu madre será discreta, pues de otra forma nunca se lo perdonaría; él es... como una roca. No cederá un ápice, lo sé, pero yo tampoco. Si se presentaran unas circunstancias que a ambos nos acercasen sin haber cedido en nuestros derechos, no digo que no la hubiera aprovechado, pues estoy convencida de que él es... la única ilusión de mi vida; pero buscarla yo, ¡imposible!

—Podíais buscarla los dos.

—¡Bueno es Roberto para eso! Figúrate que desde hace un mes ni me llama por teléfono cuando surge algo en que yo tengo que intervenir. Lo hace su secretario o cualquier otro ingeniero. Casi siempre es Renato el que me explica los asuntos por orden de Roberto, desde luego. En eso es discreto, pues como no ignora que Renato está enterado de nuestra desavenencia, lo tiene de secretario para librarse así de hablar conmigo ni siquiera por teléfono.

Habían llegado al palacio.

Ketty se volvió y, mirando cariñosa el rostro triste de Berta, añadió, quedito:

—No te aflijas, chiquilla. Confía en Dios. Él es muy bueno y sabe que nos tiene aquí. ¿Por qué no subes conmigo y me ayudas a escribir una carta a máquina?

—Encantada, Ketty; estaba deseando que me lo pidieras.

Cuando estaban llegando al despacho, susurró Berta, como una predicción:

—Yo también confío en Dios, Ketty. Tú eres demasiado buena para que Él te abandone.

Dieciocho

—¡Papaíto mío! —gritó el chiquillo, yendo a colgarse del cuello paterno.

Irma vio cómo los brazos de Roberto se crispaban temblorosos al rodear anhelante el cuerpo infantil.

Lo tuvo abrazado contra su pecho por espacio de varios minutos. Cubría de besos el rostro rosado, mientras murmuraba palabras inefables que parecían temblar.

—¿Me hiciste el *balco*, papito? El hombre pareció reanimarse. Alzó el rostro y miró ávido los ojos picaruelos del chiquitín.

—Ya lo tienes listo. Hice dos: uno para Adolfo y otro para ti.

—¿Y para Alice?

Con Rob en los brazos, fue él hasta los gemelos. Con una mano acarició las cabezas rubias.

—También para Alice se ha construido una cama muy bonita.

Pareció entonces notar la presencia de la dama y volviéndose hacia ella, murmuró, cariñoso:

—Hola, Irma; no te había visto. Siéntate.

—Queremos ver los barcos, papá.

—¿Quieres llevarlos, Renato?

—Con mil amores —replicó el aludido, yendo al encuentro de los tres ilusionados chiquillos.

Irma estaba deseando hallarse a solas con Roberto y no dudó en aprovechar la oportunidad que se le presentaba.

Se sentó frente a Foisle, quien de nuevo había ocupado su lugar tras la mesa del despacho, y dijo, sin preámbulos:

—Deseaba hablar contigo, Roberto. Ya hace muchos días que te busco y tú siempre te hurtas.

—Es que supongo que quieres hurgar en la herida y ésa está ya bastante lacerada —exclamó, mirándola de frente con torvos ojos.

—Lacerada porque tú lo quieres. Además, no deseo hurgar en ella, quiero curarla.

—Ya no hay quien la cure, Irma.

—Si tú quisieras...

—¡Ya quise! Me despreció. ¿Crees que es de mi gusto vivir como vivo? Te equivocas. Ketty fue, o es y lo será, todo en mi vida. Pero me desprecia. Aquel piso que compartimos más de una vez se me cae encima, pero aun así, nunca viviré bajo su techo si no es como Dios manda y me pertenece. El hijo se me sirve en partículas —rió, áspero—. Me conformo porque lo quiero con toda mi alma y el sufrimiento de ella me tortura a mí. Pero si quisiera... Rob viviría conmigo la mitad del año.

Estaba muy pálido; le temblaban las manos y aquella frente amplia y hermosa se plegaba ahora en profundas arrugas.

Irma, con los ojos húmedos, observaba su reacción y tuvo pena de él y de ella. Se le antojó muy difícil una reconciliación entre ambos. Habían dejado pasar muchos días. Comprendió que ninguno de los dos buscaría el acercamiento.

—Yo sé fijamente que Ketty te ama. Si pusierais un poco cada uno, lograríais que esta espesa nube se tornara en reflejo dorado.

—Una frase muy patética, Irma —sonrió él, sarcástico—, pero muy poco realizable.

En aquel momento llegaron los chiquillos y ya la conversación quedó cortada.

Irma, con dolor de su corazón, comprendió que ella, pese a sus muchos deseos, nada podría hacer. El orgullo de ambos siempre se habría de interponer entre los dos.

Aquella tarde, apoyada contra una columna de la terraza, Ketty dejaba vagar los ojos por el infinito hasta ir a posarlos, asustada, en el auto negro que se detenía frente a la verja del palacio.

En seguida oyó la voz de su hijo, que gritaba, alborozado:

—Mamita, ven. Papá nos va a *lleval* de paseo.

Le pareció impropio no acercarse, y fue lentamente hasta el auto, temblorosa, emocionada, porque por primera vez desde hacía mucho tiempo iba a verse frente a frente con su marido.

Lo vio a él al volante, a Rob subido en sus espaldas y a Adolfo y Alice sonrientes en el estribo.

Aparentemente se mostraba serena cuando apoyó las manos en la portezuela.

—Hola —saludó—. ¿Qué decías, hijito?

Los brazos de Rob se alargaron hasta rodear el cuello de Ketty, y después con el otro bracito rodeó el de Roberto, uniendo las dos cabezas.

—*Quero* que vengas con *onotos*. Papá nos *yeva* a merendar.

La epidermis de Ketty era una amapola. Ardía pegada al rostro pálido de Roberto, cuya boca permanecía herméticamente cerrada. Tuvo ganas de llorar, de desesperarse, al sentirlo tan indiferente. Ignoraba que las manos del ingeniero se crispaban dolorosamente en el pequeño volante, a causa del esfuerzo tan poderoso que estaba realizando por no cogerla en sus brazos y llevarla lejos, donde de nuevo la supiera suya como en aquellos tiempos lejanos.

Se desprendió de aquellos bracitos hurtando sus ojos de la mirada parda que parecía magnetizarla.

—No puedo ir, hijito.

El niño protestó y Alice gimoteó un poquillo, pero él permanecía serio y mudo, puestos los ojos de expresión indefinible en el rostro alterado de la muchacha.

Ketty esperó que él le rogara y, si lo hubiese hecho, habría subido a su lado sin vacilación, pero, ante tanta indiferencia, creyose olvidada por su marido y dijo, dirigiéndose a Roberto:

—No tardes mucho en traerlos, Roberto.

—Ven tú, Ketty —pidió Adolfo.

—¡*Quero* que vengas, mamita!

—Otro día, hijito. Hoy tengo mucho trabajo.

El auto trepidó sin que la boca del ingeniero se abriera para nada.

Lo vio deslizarse lentamente hasta perderse en una travesía de la calle próxima.

Los ojos de Ketty continuaron clavados en el infinito hasta que ya no vio nada. Un vaho de lágrimas parecía cegarlos.

Diecinueve

Estaba totalmente convencida de que sin él no podría continuar viviendo. El niño no calmaba todos sus anhelos. A su lado pasaba horas dulcísimas, pero siempre, en todo momento, añoraba la presencia del padre; sus risas, sus apasionadas caricias; toda la ternura que, por negársela, era más anhelada.

Aquella puerta, sólo por ellos conocida, permanecía ahora cerrada, y Ketty no ignoraba que él nunca más la franquearía si ella no iba a buscarlo. Aquello, sin embargo, era imposible, dada la situación que ambos se crearan.

Una tarde... Eran las ocho. Ya los astilleros habían sido cerrados. Lo vio subir a su auto y perderse en la próxima avenida.

Una congoja terriblemente dolorosa atenazó su garganta y tuvo que dejar que algo de ella se deslizase en lágrimas por su rostro. Se lo imaginó solo y triste en aquel piso que los dos habían compartido más de una vez. ¡Qué tiempos más felices fueron aquéllos! Recordó cuando, juguetona, ayudada por él, condimentaba en la minúscula cocina un rico pastel que luego ambos saboreaban. ¿Recordaría él aquello? Estaba segura de que sí, aun cuando dejara de quererla, cosa que le parecía imposible. Aquel amor había sido demasiado intenso para ser ahuyentado de su corazón sólo porque él lo deseara. Tenía que recordar muchos momentos dulcísimos para ambos. Era de todo punto imposible que Roberto relegara al olvido aquel cariño tan intenso que siempre le tuvo.

Ya no deseaba pensar en la primera mujer de su marido. Sabía que fue amada intensamente por Roberto y no ignoraba tampoco que la primera esposa borrose del corazón de Foisle tan pronto como había comprobado su infidelidad. Fue ella la que, luego embalsamara el corazón humillado; ella la que había endulzado las horas amargas de aquel hombre incomprendido, había sabido con su dulzura ahuyentar las nubes negras de aquellos ojos pardos, logrando con su amor hacerles resplandecer de nuevo, y eso no podía olvidarlo Roberto.

—Mamita —llamó el nene, tirándola de la falda—. *Quelo vel* a papín.

Se estremeció. Había olvidado que el nene jugaba muy próximo a ella.

Aquel día, por ser frío y húmedo, no lo había mandado a la oficina.

—Mañana, nene mío —prometió, alzándolo en sus brazos.

—*Quelo il* hoy.

Entró Irma en aquel momento.

—Pasa, Irma —dijo Ketty, sonriendo sin ganas—. Fíjate que este tirano me pide ver a papá.

Irma se adelantó.

—Pide una cosa bien lógica, ¿no crees?

Ketty se ruborizó.

—Ciertamente, pero...

—Permíteme que te diga, Ketty querida, que encuentro absurda vuestra actitud. Los dos os queréis, ¿por qué no uniros? Hazme caso y vete. Con este pretexto del nene, quién sabe si al fin os comprendéis.

La muchacha quedó pensativa.

—Temo que sea demasiado tarde —susurró, bajito.

—Para eso nunca lo es, si el amor está por medio. Vosotros lo tenéis. Estás dejando pasar los mejores años de tu vida. Vete, Ketty. Te estás muriendo de amor por él. Roberto te adora.

—Bien poco lo demuestra.

—¡Oh, Ketty! ¿Es que después de los años de intimidad con tu marido aún no lo conoces? Roberto es un hombre en toda la extensión de la palabra, y luego de pedir una vez, ya nunca más tornaría a insistir, aunque se muera de desesperación. Por tu hijo, Ketty, por las habladurías que estás ocasionando; más que por nada por vosotros mismos, que no podéis vivir el uno sin el otro.

—Le quiero tanto, Irma, tanto, tanto... Mas, ya es imposible, pero si supieras, al mismo tiempo, lo que me cuesta este paso.

—Pero si tú tan sólo vas a acompañar a tu hijo. ¿No te haces cargo? Es un pretexto maravilloso, Ketty. Hazme caso. Eres mujer y no ignoras la forma de convencer al hombre sin necesidad de pronunciar una sola palabra. Muchas veces nuestras armas femeninas son precisas para hallar la felicidad. Tú puedes hacer uso de ellas y saldrás vencedora, lo sé.

—No me parece un juego limpio.

—Por favor, Ketty, no pienses más y ve, que ya son las nueve de la noche y va a llover.

Ketty se puso en pie. Estaba muy pálida. Sus ojos bonitos brillaban acariciadores.

—Le quiero tanto, Irma, que voy a seguir tus consejos.

—Y no te pesará.

La muchacha fue hacia el cuarto. En seguida apareció embutida en un abrigo de invierno.

—Voy a ir, amiga mía. Si vuelvo, todo está perdido para siempre. Si me quedo allí... organiza para mañana una gran comida.

—Dios quiera que no vuelvas, hijita.

Aún rezaba Irma cuando el auto que se llevaba a Ketty y a su hijo se perdía por la verja del jardín.

Veinte

Tendido en un diván, fumaba incansable. Con ojos inexpresivos miraba hacia adelante, encontrándolo todo tan vacío, tan falto de afecto.

De nuevo retornaba a la soledad. Pero esta vez la sentía más dolorosa por haber ya paladeado la dulzura de aquel cariño que se le negaba ahora.

Aquel día no le habían llevado a su nene. ¿Con qué derecho se lo negaban? Qué deseos más imperiosos sentía de subir al despacho y, arrancando al niño de los brazos maternos, decirle a Ketty todas las amarguras por las que él pasaba a causa de su desamor. Se había contenido porque hubiera sido un espectáculo muy poco digno. Allí se consumía; en el piso solitario donde tantos y tantos recuerdos se guardaban de ella.

En aquel diván había permanecido horas y horas confesándose su apasionado cariño; la cocina también hablaba de ella; aún creía contemplarla confeccionando un rico pastel, que luego le servía mimosuela. La misma salita les había visto bailar muy juntos, mirándose arrobados con dulzura infinita. La radio guardaba acaso las huellas de sus dedos alados. El cristal de la coqueta parecía aún devolverle la figura de su amada. Todo, todo le hablaba de ella; el mismo corazón al palpitar parecía llamarla...

Se irguió tembloroso. Aquella situación era incontenible. No podía continuar separado de Ketty, puesto que su sitio estaba allí, a su lado; adorándola, haciéndola más intensamente feliz con su amor de hombre, con su ternura que parecía romperle el alma gritando por ella. Tiró el cigarro, que pisó fuertemente. Le parecía que así, de aquella misma manera, hubiera pisado su corazón. Sus ojos fueron inexpresivos a clavarse en el espejo. Se contempló vagamente. Estaba envejecido; sus sienes plateaban y en la comisura de los labios mil arruguitas señalaban el correr del tiempo. También sus ojos, antes vivaces, reflejaban ahora una amargura infinita, un cansancio absoluto...

Se sobresaltó. ¿No era la figura de su mujer la que se perfilaba en el umbral del saloncito? ¿No era su hijo el que corría a su lado llamándole alegremente *papá*? Se volvió, temiendo ser víctima de su propia imaginación exaltada.

—¡Hijito! —gritó, alzándole en sus brazos—. ¡Mi nene guapo! —susurró, elevando los ojos e interrogando con ellos a Ketty, que, ruborosa, bajó los suyos.

—Como hoy no lo mandé a la oficina, pues...

—Ya —cortó, con voz impersonal—. Has querido que no muriera el día sin que yo lo hubiera besado. ¿Cenasteis?

—Aún no.

—Pues siéntate. Voy a preparar algo.

Ketty se estremeció.

—No te preocupes—irguió la cabeza, añadiendo, mientras sus ojos se adentraban en las pupilas pardas—. Quédate tú con el nene. Yo prepararé algo para los tres.

—¿Lo harás? —brillaron los ojos varoniles.

—¿Por qué no?

El nene saltó juguetón, tirando luego de los pantalones de Roberto.

—Déjala, papín. Mientras, tú y yo vamos a *jugá* al *cabayo*, ¿quieres?

Él se dejó. Le parecía un sueño todo lo que estaba sucediendo y no quiso despertar.

Vio como Ketty se despojaba del abrigo, adentrándose luego en la cocina. Así, teniéndolos cerca, era su anhelo. Miró después —dejando que el niño jugara con sus cacharros— cómo el agua en el exterior golpeaba duramente los cristales.

La noche, con sus negros celajes, había ya cubierto las sombras oscuras del día nublado, y se sintió tan a gusto, tan feliz, como un momento antes deseaba, como siempre lo estuvo deseando.

Habían pasado ya muchos minutos cuando vio a Ketty comparecer en la puerta del saloncito, haciéndole creer, con su presencia, que todo lo sucedido fuera una cruel pesadilla.

—He preparado el pastel que a los dos os gusta. Ven, Rob, que ya es muy tarde —habló, mientras preparaba el servicio en una mesilla de ruedas.

Los tres se sentaron. Pero ellos no hablaban; era el niño quien lo hacía por ambos. Ketty servíales, Roberto los contemplaba.

—¿No comes? —preguntó Ketty, mirándole rápidamente.

—No tengo apetito.

—Pues está *mu* rico, papín.

—Ya lo sé, mi vida, pero me satisface más verte comer a ti.

Siguió otro silencio.

—Yo no me *quelo il*, ¿verdad, papín, que podemos quedarnos aquí? —balbució el chiquitín.

—Es imposible, nene —dijo, sonriendo con esfuerzo—. Vamos a marchar en seguida. Son las once de la noche.

La voz de Roberto se oyó enronquecida, observando:

—¿Por qué no lo dejas conmigo? Está lloviendo torrencialmente. Yo te lo llevaré mañana.

Ella dudó. Fue Rob quien, palmoteando, sonrió gozoso.

—Sí, mamita, sí. Pero tú *tenes* también que quedarte.

Se hurtaron los ojos femeninos. La mirada del ingeniero brilló tanto, tan apasionadamente, que tuvo miedo a quemarse en aquella potencia avasalladora.

—Puede quedarse —dijo. Luego añadió, quedo, para que el niño no oyera—: Yo esperaré a que cese de llover.

Retiró el servicio. Tardó en regresar de la cocina; cuando lo hizo, el niño dormía plácidamente en los brazos de Roberto.

—Se ha dormido.

—Iré a acostarlo.

Sabía dónde estaba el cuarto, que el padre, cuando aún no había surgido aquello, mandara preparar para el hijito. Con ternura infinita lo desnudó, acostándolo despacio, besándolo dulcemente en la frente rosada.

—Voy a marchar.

—Ahora llueve mucho —observó Roberto, dejándose caer en el diván.

Ketty fue hacia la radio y la conectó. Hacía tanto tiempo que no se sumergía en su poder de embrujo. También ella recordó cuando juntos bailaban por aquel pequeñín saloncito, que, aun cuando fuera muy chiquito, a ellos se les antojaba el más grande, el más maravilloso del mundo.

La radio dejó oír la música de un fox lento, suavísimo.

—¿Bailamos, Ketty?

¿Era la voz de él o lo había soñado? Miró en derredor, hallándose a Roberto inclinado, tembloroso, y, sin acertar a saber lo que hacía, se alzó dejando que los brazos fuertes rodearan su talle. ¡Qué fuerte y con qué pasión la oprimía!

Ella se sintió tan feliz, tanto... que mimosa se arrebujó contra aquel corazón que era toda su vida.

Sus miradas se encontraron dulcísimas, brillantes de apasionamiento y ternura. Muy despacio sus rostros fueron acercándose y luego... los labios quedaron unidos en un beso largo, inacabable. Él, por sí solo, explicaba todas las torturas pasadas. Lentamente los brazos femeninos rodearon el cuello fuerte. La voz dulce se oyó estremecida.

—Me estaría así toda la vida.

—Vamos a estarlo, Ketty, porque nuestra «boda clandestina» ya ha dejado de serlo, amada mía.

Ella tuvo que llorar de felicidad. Los labios de Roberto Foisle temblaron al limpiar amoroso las lágrimas que surcaban el rostro terso.

Fuera continuaba lloviendo, pero ellos no lo oían. Como en otras muchas ocasiones, vivían solamente para su amor.

Otros títulos de Corín Tellado en Punto de Lectura

La boda de Ivonne

La joven Ivonne Fossey trabaja en una clínica privada a las órdenes del mezquino doctor Kleibert. Éste se encapricha con su empleada y trata de seducirla por todos los medios, consiguiendo solamente que ella le desprecie. Pero Ivonne se halla en una difícil situación familiar: su tía anciana está enferma y sólo Hans Kleibert puede operarla. Así que, para salvar a su tía, debe acceder a una boda con un hombre al que aborrece.
Corín Tellado (Asturias, 1926) ha escrito a lo largo de su carrera entre 4.000 y 5.000 novelas. Como dijo el escritor cubano Guillermo Cabrera Infante, es la autora española más leída de todos los tiempos, después de Cervantes.

La Colegiala

Denise Winters es una aristócrata inglesa que acaba de salir del internado donde ha pasado toda su adolescencia; esa es la razón de que no conozca las reglas y los prejuicios de la clase a la que pertenece. Cuando se encuentra con Jack, un orgulloso periodista de sociedad, queda fascinada por él. Pero las presiones de su entorno y el difícil carácter del joven pondrán las cosas muy difíciles a su historia de amor.

Corín Tellado (Asturias, 1926) ha escrito a lo largo de su carrera entre 4.000 y 5.000 novelas. Como dijo el escritor cubano Guillermo Cabrera Infante, es la autora española más leída de todos los tiempos, después de Cervantes.